13 Juin 2002.

À Fran[...]

Merci de ma vue.

Un jour ce sera peut-être à votre
tour de prendre la plume!

Guy Lucbert

CONTES D'HIER ET D'AUJOURD'HUI

De la Garonne au Saint-Laurent

Guy Lucbert

CONTES D'HIER ET D'AUJOURD'HUI

De la Garonne au Saint-Laurent

 Éditions de Mortagne

Données de catalogage avant publication (Canada)

Lucbert, Guy, 1930-

Contes d'hier et d'aujourd'hui : de la Garonne au
Saint-Laurent

ISBN 2-89074-457-4

I. Titre.

PS8573.U53C66 1993   C843'.54   C93-096482-9

PS9573.U53C66 1993

PQ3919.2..L82C66 1993

Édition
Les Éditions de Mortagne
250, boul. Industriel, bureau 100
Boucherville (Québec)
J4B 2X4

Diffusion
Tél.: (514) 641-2387
Téléc.: (514) 655-6092

Dépôt légal
Bibliothèque nationale du Canada
Bibliothèque nationale du Québec
2e trimestre 1993

ISBN: 2-89074-457-4

1 2 3 4 5 - 93 - 97 96 95 94 93

Imprimé au Canada

J'aimerais dépouiller la poésie du noir manteau qui trop souvent l'habille pour la revêtir de mots aux couleurs éclatantes qui chanteraient davantage les amours partagées, l'amitié et la joie de vivre. Je voudrais être le chantre des jours heureux, de ceux que la vie ne nous accorde que trop parcimonieusement.

Guy Lucbert

TABLE DES MATIÈRES

Avant-propos 11

Préface 13

La Garonne 15

Le visiteur 33

Le curé de Pindères 45

Le banquet des Anciens Travailleurs 69

Jules Adoris 77

L'histoire d'une histoire 91

Une histoire d'amour 95

Le Saint-Laurent 117

AVANT-PROPOS

Mon livre intitulé *L'enfant qui voulait devenir poète* étant épuisé, j'ai voulu répondre à la demande pressante de mes lecteurs en leur offrant une édition revue et corrigée de mes meilleures nouvelles. Deux d'entre elles, «La Garonne» et «Le Saint-Laurent», m'apparaissent particulièrement bien choisies pour marquer les célébrations du 350e anniversaire de Montréal.

J'avais déjà esquissé l'histoire turbulente de ces deux grands fleuves qui, tout en se racontant, évoquaient avec humour et fantaisie la vie et les coutumes de leurs riverains. Ce cadre me sert aujourd'hui à mieux faire ressortir les différences et les affinités de nos traditions ainsi qu'à tracer le portrait de ces audacieux navigateurs que furent nos ancêtres communs. Les ponts sont de nouveau rétablis entre le passé et le présent, la France et le Québec, ma terre natale et mon pays d'adoption.

Avec les *Contes d'hier et d'aujourd'hui*, je complète une série d'histoires destinées à célébrer nos peuples, en ajoutant de nouveaux récits qui s'intègrent aux premiers et leur donnent une meilleure cohésion. Cet ouvrage a pour but de valoriser nos cultures, certes distinctes, mais toujours unies par des liens étroits et privilégiés dont la langue reste le plus éloquent témoignage.

Je dédie ce livre à tous ceux et celles qui, férus d'Histoire ou non, aiment à se faire raconter des histoires...

Guy Lucbert

PRÉFACE

C'est avec beaucoup de plaisir que j'ai accepté de préfacer l'ouvrage de Guy Lucbert, qui fait partie des écrivains dont le style permet de rêver, dans ce siècle où l'on ne sait plus vivre.

Ce livre est une détente. Il faut le lire tranquillement et se laisser emporter par des phrases imagées vers des rivages qui existent encore mais qu'il faut chercher, car ils se font de plus en plus rares.

Le rythme de la vie appelée moderne nous a séparés des véritables valeurs et la sensation a remplacé le sentiment. Tout est devenu artificiel, illusoire, triste. Pourtant, si l'on sait écouter un oiseau qui chante, regarder une feuille qui frémit sous le vent, on entendra le murmure d'un ruisseau. On s'aperçoit que les vraies valeurs sont là, toujours présentes dans la nature.

Cet espoir et cet encouragement vers le retour aux sources, Guy Lucbert nous les fait partager dans son livre. Ses contes nous rappellent les belles veillées d'autrefois, où la tradition des histoires se transmettait de génération en génération.

Le Saint-Laurent et la Garonne, dont les parcours sont géographiquement différents, ont, sous la plume de l'écrivain, les mêmes difficultés, les mêmes joies et les mêmes espoirs. En cela, ils nous font aimer la vie et rendent leur présence nécessaire et attachante.

Jean-Louis Victor

LA GARONNE

Entre deux amours, mon cœur balance
Lorsque je suis près de l'un, c'est à l'autre que je pense.
Pourquoi faut-il que ce soit en m'éloignant
Que j'éprouve pour chacun, les plus vifs sentiments?

Pourquoi faut-il que ce soit seulement à distance
Que j'en saisisse les plus subtiles beautés
Et que je gâche, par mon inconstance,
La joie des amours retrouvées?

L'inspiration capricieuse, à son tour vagabonde,
Et c'est en voyant les eaux du Saint-Laurent
Que je décris le mieux celles de la Gironde!
Comment satisfaire à des désirs aussi contrariants?

Puisque, à la réalité, mon rêve je préfère
Et qu'en ce moment, je suis sur les bords du Saint-Laurent,
Vous me pardonnerez, du moins je l'espère,
De vous parler de la Garonne, d'elle et de ses enfants.

GARONNE: Fleuve du sud-ouest de la France, né en Espagne et se jetant dans
l'Atlantique (650 km). Ses principaux affluents sont: la Pique, la Neste, le Salat, l'Ariège,
la Save, le Gers, la Baïse, le Tarn et le Lot. Elle arrose Toulouse, Agen et Bordeaux. Peu
après cette ville commence la Gironde, véritable bras de mer et estuaire commun de la
Garonne et de la Dordogne.

La Garonne, née en Espagne, décida très tôt d'émigrer. On dit qu'elle avait préféré un climat plus propice à ses aspirations. Cet exemple contagieux a été suivi par de nombreuses personnes au cours de l'histoire.

Il est vrai qu'elle a quitté son pays très jeune, trompant les douaniers sur les richesses qu'elle transportait! Ceux-ci étaient loin de se douter qu'en laissant passer ce gros ruisseau, ils privaient leur pays d'un fleuve remarquable.

Voici d'ailleurs son histoire.

On ne connaît pas exactement la date de sa naissance. Elle naquit d'amours illicites. Son père, un inconnu, n'a jamais fait un geste pour revendiquer sa paternité. Sa mère, racontent les mauvaises langues, se serait laissée tourner la tête par des vents capiteux venus de Cerdagne.

L'Espagne, sa frivole maîtresse, l'abandonna encore enfant dans la montagne. Recueillie par la France, ce fut finalement sa mère adoptive qui l'éleva et francisa son nom.

Toute jeune, elle manifestait déjà beaucoup d'indépendance et faisait preuve d'une audace peu commune. Prenant son élan, elle descendait la montagne en véritable casse-cou, risquant cent fois la chute.

Elle garda de ce bref passage le souvenir fugitif des pics enneigés, des cirques grandioses et des fleurs de montagne qu'elle cueillait sur son chemin pour s'en faire des guirlandes.

Essayant déjà de la séduire, l'air transportait au-dessus d'elle mille parfums qu'il allait chercher dans quelque endroit connu de lui seul. Habile alchimiste, il s'ingéniait à de savants mélanges, dont quelques-uns enivraient la belle.

Mais la coquine, encore trop jeune pour les jeux de l'amour, descendait en éclaboussant de ses rires les rochers qui la bordaient.

Par jeu, elle limait ses galets qu'elle arrondissait pour s'en faire des balles qu'ensuite elle roulait, comme une folle, dans de gracieux tourbillons.

Ingénieuse, elle utilisait la fine poussière obtenue par son patient frottage, en tapissant sa couche et se faisant ainsi un moelleux lit de sable. Son confort assuré, elle repartait de plus belle vers d'autres ébats.

Espiègle, elle aimait jouer des tours. L'un de ses favoris consistait à arracher la belle terre de ses rives, à y cacher des cailloux et autres choses indigestes et à aller ensuite, ingénument, proposer cette nourriture aux herbes de la vallée.

Elle ignorait que les alluvions, par elle transportées, devenaient, sous le nom de lise, un riche limon qui fertilisait la plaine. Par badinage, la mutine lui apportait, sans le savoir, la plus substantielle des nourritures.

Naturellement, comme tous les enfants, à ce jeu elle se salissait beaucoup! Le courant qui était chargé de son éducation la dirigeait alors vers les rochers et, l'y maintenant d'une main ferme, la frictionnait d'importance.

L'orage, de sa grosse voix, la grondait souvent, mais il lui faisait plus de peur que de mal. C'étaient les rageuses pluies d'automne qui la fouettaient le plus rudement.

Mystérieusement prévenus, les vents d'Aquitaine qui l'aimaient beaucoup accouraient à sa rescousse, chassaient les nuages et essuyaient de leur chaude haleine, les larmes qui perlaient encore sur ses bords.

Insouciante et vagabonde, elle eut une enfance très heureuse.

Ce n'est qu'en arrivant dans la plaine que, jetant un regard en arrière, elle eut conscience de la grandeur des Pyrénées.

Le jour, leurs silhouettes enneigées se détachaient majestueusement sur un ciel bleu par le froid, dominant de leur splendide beauté les vallées qui s'étiraient à leurs pieds.

Le soir, les hauts sommets en dents de scie découpaient de leurs blanches lames des morceaux d'un ciel si précieux qu'une fine poussière d'or en retombait, étoilant le firmament.

On comprend pourquoi, pendant des millénaires, des peuples primitifs les prirent pour des dieux et les adorèrent! Il fallait bien que ces montagnes soient habitées par quelque génie, sinon comment expliquer tant de grâce et de splendeur, en un seul lieu réunies?

La Garonne aussi cherchait à comprendre... Sans doute influencée par la proximité de Lourdes, elle leva les yeux vers le Créateur. «Pourquoi, lui demanda-t-elle, tant de merveilles, sous un ciel si beau, et pourquoi juste au-dessus de ma tête? Qu'ai-je donc fait pour mériter pareille faveur?»

Ce fut alors qu'elle eut son premier chagrin. Elle regrettait les cimes escarpées, les sentiers de chèvres, les fleurs sauvages et cet air embaumé qu'elle quittait pour toujours.

Un instant, elle envia ses amies, les truites, qui étaient les seules capables de remonter son courant et de revenir ainsi à leurs origines.

Sa peine fut heureusement abrégée par les saules qui, étonnés de la voir si belle, l'interrogèrent tous en même temps. Ils lui demandèrent d'où elle venait, ce qu'il y avait sur l'autre versant, quel était le nom de son parfum. Ils posèrent aussi beaucoup d'autres questions.

Elle leur raconta la montagne, les hauts précipices, les gorges profondes et les sombres forêts, les ours, les isards, et même les loups. Elle leur parla de l'adresse des mulets, du bond prodigieux que font les chèvres, dont l'audace n'était surpassée que par celle des fleurs qui poussaient dans des endroits inaccessibles.

Elle leur apprit que la neige était faite, en vérité, de vieux nuages dont la chevelure avait blanchi avec le temps. Tous les ans, à la même époque, on pouvait les voir descendre sur la montagne, qui était réputée pour ses cures de jouvence. Ils en profitaient pour y installer leurs quartiers d'hiver.

Le printemps revenu, régénérés et reposés, les nuages étaient rappelés par le soleil. Les plus légers s'envolaient directement, tandis que les autres employaient différents moyens pour se rapatrier. Les torrents et les rivières profitaient de leur passage pour prendre leurs aises et pour élargir leur lit.

Elle ne put guère les renseigner sur ce qui se passait de l'autre côté des Pyrénées. Par temps clair, lorsque la brume se déchirait, elle pouvait voir jusqu'aux côtes de l'Afrique, un pays cerné par les océans et dont le seul accès terrestre était barré par la montagne.

Parfois, des bribes de chansons lui parvenaient; elles parlaient d'amour et de liberté mais elles finissaient toujours mal. Dieu avait-il isolé ce peuple dans la crainte de le voir communiquer un important secret qu'il aurait par la suite regretté de lui avoir confié?

C'est vrai que la Garonne était maintenant une bien charmante rivière. Elle venait d'abandonner son lit devenu trop étroit, mais dont les bords relevés l'avaient si bien protégée.

Sa taille fine était gainée par ses berges fleuries. Une belle robe faite d'écume toute blanche l'habillait. Le vent lui dessinait des rides que le soleil rendait malicieuses.

Ses eaux tumultueuses, avec leurs courtes vagues, bouclaient sa face mutine. Les saules, penchés au-dessus d'elle pour mieux la voir et l'écouter, lui faisaient, de leurs fronts réunis, une couronne de verdure qui l'embellissait davantage.

Les bioulades, nom que l'on donne aux plantations de saules, n'oublièrent jamais cette jolie passante. Ils fixèrent dans les racines qui leur servaient de mémoire, en même temps que les riches limons, les belles histoires qu'elle leur avait racontées.

De jeunes et bouillants admirateurs accoururent de toutes parts.

Se jetant à ses pieds, la Pique et la Neste augmentèrent son débit et lui donnèrent de l'importance.

Le Val d'Aran, qu'elle venait de quitter, faisait maintenant place au très vieux comté de Comminges.

Ne sachant trop quel chemin suivre, elle se laissa glisser, comme nous le faisons souvent, sur la pente la plus facile. Or, c'était la route qui menait en droite ligne vers la province d'Armagnac, en plein cœur de la Gascogne.

Après mûre réflexion, elle obliqua vers le nord-est, en direction du pays toulousain.

Le soir, dès que le soleil descendait derrière les arbres et lui donnait quelques rougeurs, elle se sentait languissante. L'indiscrète caresse du vent la faisait frissonner, soulevant ses plus jolies vaguelettes dont le léger clapotis ressemblait à un soupir.

C'est le moment que choisissaient les rossignols pour lui parler d'amour. Leurs trilles mélodieux trouvèrent facilement le chemin de son cœur. Ce furent ses premiers professeurs de chant.

La Garonne étonna ses nouveaux maîtres par ses rapides progrès. Si bien que les rossignols, rendus au bout de leur savoir, durent lui avouer qu'ils avaient eux-mêmes tout appris des Toulousains! Ils lui déclarèrent qu'elle en savait maintenant autant qu'eux et que si elle désirait parfaire son éducation, il lui faudrait se rendre à Toulouse.

Et c'est ainsi qu'elle décida de conduire ses eaux sous le Capitole. Ce faisant, elle croisa de pimpants villages qui fleurissaient leurs fenêtres sur son passage.

Encore gamine, elle grimpa sur les plateaux de Couserans et, loin des endroits habités, elle s'adonna à de joyeuses glissades, gambadant et cascadant à perdre haleine. Réajustant sa tenue devant Saint-Gaudens, elle recommença de plus belle, une fois l'austère petite ville dépassée.

En route, elle fredonnait des chansons dont les refrains faisaient rimer liberté avec fraternité, amour avec toujours. «Les gens de ce pays sont charmants, se disait-elle, j'ai bien fait d'y passer!»

Elle connut son premier amour un peu avant Toulouse, lorsqu'elle rencontra l'Ariège, un affluent important qui s'y rendait pour affaires.

Le Salat excepté, elle n'avait eu jusque-là que des amourettes de peu d'importance.

En mêlant leurs eaux, les deux amants unirent aussi leurs destinées, et c'est main dans la main qu'ils traversèrent la capitale du Languedoc.

Ce fut d'abord un enchantement, et elle vécut des moments inoubliables. Elle découvrit l'opéra, apprit l'italien et admira les chaudes voix si fortes et pourtant si caressantes.

Les poètes, prévenus de sa visite, se réunirent à ses pieds et rivalisèrent d'esprit pour parler d'elle. Tout le long de son cours, ce n'était qu'honneurs et compliments.

Prenant la Garonne à témoin, les peintres célébrèrent d'heureuses épousailles. Officiant sur une belle toile blanche, ils marièrent, selon leurs affinités, les couleurs les plus vives et les plus riches qu'ils avaient pu trouver.

Éblouie par le spectacle permanent qui se jouait sur ses rives illuminées et ne voulant rien manquer de la représentation, elle ne dormait plus.

Malheureusement, à veiller si tard, son teint délicat s'en ressentit. Désireuse de conserver intacte son éclatante beauté, elle eut recours à des artifices. La voilà maintenant qui se maquillait! Par pure coquetterie, elle changeait ses reflets à chaque instant, sous l'éclairage des réverbères...

Puis ce fut le désenchantement.

Elle, si fière, dut partager son lit avec des eaux douteuses, dont certaines arrivaient directement des égouts! Je vous laisse à penser si elle en apprit des choses, et pas toujours des plus belles!

Comme elles étaient loin les joies rustiques de sa montagne!

En quittant la capitale, elle éprouva le besoin de se laver et elle se frotta longuement contre son sable le plus blanc.

Hélas! même si elle reprit une belle apparence, elle comprit que, malgré tous ses efforts, elle ne retrouverait jamais plus sa première fraîcheur.

La Garonne avait aimé cette ville, autant pour son accueil que pour son savoir. Mais elle avait dû payer très cher le prix de ses études: elles lui coûtèrent sa transparente pureté.

Ses nouveaux diplômes lui ayant un peu enflé la tête, de modeste rivière qu'elle était avant Toulouse, elle se transforma en un véritable fleuve, après son passage dans cette ville.

Elle était arrivée à cette période merveilleuse de la vie où, gonflée de savoir et d'espérance, toutes les ambitions sont permises. Ne sachant quelle orientation prendre, elle sollicita de nouveaux conseils.

Les uns lui dirent d'aller vers Paris, que là seulement, elle serait reconnue pour ses talents. D'ailleurs, elle y retrouverait beaucoup de ses compatriotes qui avaient sacrifié les beautés de ses rives au profit de leur carrière.

D'autres lui dirent que Paris était loin, qu'elle n'y arriverait pas la première et que les meilleures places étaient déjà prises. Pourquoi, disaient-ils, ne pas te diriger vers les charmants pays méditerranéens?

Ce fut finalement un vieux hibou, réputé pour sa sagesse et qui avait fait ses études à Rome, qui lui suggéra la meilleure direction.

«Pourquoi ne pas t'installer dans le bassin d'Aquitaine, lui conseilla-t-il. Ne sais-tu pas qu'en latin, ce mot signifie "pays des eaux"? Et puis, il est sur ton chemin; tu n'as qu'à suivre la vallée de la Guyenne. Pour ne pas t'égarer, ajouta-t-il, prends bien garde de ne pas t'éloigner de la Gascogne. Si tu hésites un moment sur la direction à prendre, renseigne-toi auprès de tes riverains. S'ils ont encore l'accent, c'est que tu es sur la bonne route.»

La Garonne suivit avec bonheur ces sages conseils. Cette grave décision prise, elle put enfin songer à s'établir sérieusement.

Ce fut l'époque des grands travaux. Piochant sans relâche, elle approfondit son lit et l'élargit. «Je serai le plus grand fleuve de France et de Navarre, se disait-elle.»

L'ambition décuplait ses forces et aiguisait son appétit. Elle employa toutes les ruses pour arriver à ses fins. Elle utilisait son charme pour séduire les terres voisines qu'elle engloutissait, une fois conquises.

Tandis qu'elle laissait les plus grands arbres se mirer complaisamment dans ses eaux, elle attaquait sournoisement leurs racines et les faisait basculer dans son lit. Ses victimes lui servaient ensuite de béliers pour défoncer ce qu'elle n'avait pu submerger.

Ainsi, par tous les moyens, elle s'empara rapidement des premiers contreforts du Massif Central qui gardaient la vallée, objet de sa convoitise.

Elle avait cependant présumé de ses forces et elle se rendit compte que seule, elle ne pourrait atteindre son but. Il lui fallait obtenir de l'aide.

Elle était parvenue au faîte de sa gloire, et ce qu'elle avait perdu en vigueur, elle l'avait regagné en grâce et en beauté. Sûre d'elle, persuasive, elle fascinait par son aisance.

Elle coulait ses eaux lisses, en frôlant ses berges de lents mouvements lascifs, charmant irrésistiblement les rivières voisines qui affluaient vers elle.

Qu'ils vinssent de droite ou de gauche, la Save, la Gimonde, l'Arrots, le Tarn, et d'autres plus petits, tous perdirent la tête et partagèrent son lit. Chaque amant, en la grossissant, lui donnait une nouvelle jeunesse, ce qui lui assurait d'autres conquêtes.

Chacun son tour lui apportait les plus remarquables richesses de son terroir et les lui donnait en cadeau. Des Gascons, elle prit les colères et l'esprit. À leur contact, elle devint capricieuse, et ses débordements furent célèbres autant que redoutés.

Par contre, elle était devenue, et de loin, le fleuve le plus spirituel de France! Ceux qui burent de son eau le savent bien. Ne cherchez pas d'autres raisons à l'étonnante profusion de poètes qui naquirent sur ses bords!

Son impétueuse générosité n'avait d'égale que son inconséquence. Voulant trop bien faire, elle noyait les récoltes qu'elle voulait sauver de la sécheresse.

Il fallait voir avec quel panache elle menait ses eaux!

Désormais, elle ne s'attaquait qu'aux obstacles dotés des meilleures défenses, ne trouvant d'attrait qu'aux causes difficiles. Elle perdait le sens des réalités: tel le Don Quichotte de son pays natal, la folle se précipitait tête première contre les rochers, s'imaginant ainsi engloutir de hautes montagnes!

Heureusement, sa fougue était tempérée par les affluents venus de droite qui, vous le savez, sont plus réalistes. Ils la nourrirent de leurs flots tranquilles, bienfaisants et apaisants. Ils régularisèrent son cours et lui apportèrent la sagesse et la mesure qui commençaient à lui manquer.

Calmée, elle atteignit Agen où le Gers, l'une de ses dernières amours, l'attendait.

Mais elle avait perdu son appétit. Elle grignotait bien encore un peu ses rives, mais sans conviction.

Son maître, le courant, qui avait pris de l'âge, n'avait plus la force de la guider. Dans cette contrée, ses nombreux méandres en font foi.

Elle montrait sa fatigue par de nombreux bancs de sable qu'elle avait installés en plein milieu du fleuve. Entre Port-Sainte-Marie et Casterets, elle inquiéta réellement ses riverains: une de ses boucles était si large qu'ils crurent qu'elle rebroussait chemin.

Ils se réunirent et prirent d'importantes décisions pour redonner à la Garonne l'attention qu'elle méritait. Ils convinrent d'abord d'alléger sa charge.

Quelques gros bateaux essayaient, en effet, d'abuser de la faiblesse de son courant pour se laisser porter. On trouva le remède: un canal latéral fut creusé, la déchargeant ainsi de ses plus lourds fardeaux.

Ce ne fut pas tout. On rendit ses rives attrayantes. On y planta de nombreux arbres fruitiers. Quelques printemps plus tard, leur vue et leurs parfums lui rappelèrent sa jeunesse et la touchèrent beaucoup.

On s'ingénia à la séduire par d'heureuses initiatives. Les maraîchers y cultivèrent leurs légumes et les horticulteurs, leurs fleurs, si bien que les abeilles eurent un an d'avance sur les apiculteurs. La vallée était devenue un véritable jardin.

Par obligeance, les jardiniers creusèrent des rigoles d'irrigation un peu partout. Ainsi, la Garonne pouvait mieux se rendre compte des bienfaits dont elle était la dispensatrice.

Alors naquit entre elle et ses riverains une amitié durable. À se sentir aussi utile qu'appréciée, elle reprit goût à la vie.

De part et d'autre, ce n'étaient que délicates attentions.

Pour la protéger contre le soleil d'août, on ombragea ses rives d'arbres hauts et feuillus.

Des myriades d'oiseaux accoururent et, de leurs nouveaux perchoirs, chantèrent les louanges de leur bienfaitrice.

Sollicité à son tour, le vent les accompagna, en jouant dans les feuilles des peupliers ses airs les plus câlins.

Pour ménager ses forces, les hommes aidèrent le fleuve à creuser son lit. Ils eurent la délicatesse, pour ne pas qu'elle se perde en route, sa vue ayant beaucoup baissé, d'y draguer un chenal et de le baliser.

À son tour reconnaissante, elle offrit à ses serviables voisins le gravier qui recouvre aujourd'hui nos chemins.

Pour comble de bonheur, le Lot ainsi que la Baïse acceptèrent presque en même temps de se joindre à elle. Ce furent ses derniers amants, ses dernières folies, avant d'atteindre La Réole.

Qui n'a pas connu cette région ne peut comprendre l'étonnement de la Garonne!

Sur ses deux rives, à perte de vue, des rangs de vigne s'alignaient, comme des soldats à la parade. Ils s'étageaient jusqu'au sommet des collines, afin de mieux dominer un éventuel assaillant.

Leurs escadrons menaçants occupaient chaque piton, en épousant les moindres contours. Face au soleil, rangés en ordre de bataille, ils semblaient prêts au combat.

La Garonne avait bien rencontré en amont des vignes hirsutes et vagabondes qui étiraient leurs rangs clairsemés en colonnes, par deux. Mais elle n'avait jamais vu une telle concentration, et surtout, manœuvrant avec un tel ensemble.

Dans l'alignement impeccable, pas un pied ne dépassait, pas une feuille plus haute que les autres. Sur le sol, désherbée par d'impitoyables sarcloirs, la terre sablonneuse était nue. Seuls quelques cailloux oubliés assistaient à un spectacle effarant!

Les ceps, tordus de douleur, étalaient leurs branches crucifiées. Par un ingénieux raffinement de cruauté, des fils de fer maintenaient à l'horizontale les suppliciés écartelés. Les sarments, récemment taillés, ne portaient plus guère de feuilles. Privés de leur ombrage, les malheureux raisins rôtissaient au soleil.

«Qu'ont donc fait ces vignes pour mériter un pareil traitement?» interrogea la Garonne inquiète. Ce fut un grand cep, noueux et perclus qui, d'un sourire rassurant, lui répondit:

«Ne crains rien, et sois la bienvenue au pays du vin. Nous t'attendions depuis longtemps! Pour être certains de ne pas te manquer, nous avions placé, sur toutes les hauteurs, des veilleurs chargés d'annoncer ton arrivée.»

Puis, amusé, il ajouta:

«Si les hommes sarclent si bien la terre autour de nos pieds, c'est pour éliminer les mauvaises herbes qui se nourrissent à nos dépens. Les fils qui nous attachent mettent nos grains à l'abri des intempéries. Les poteaux et les fers que tu vois nous permettent de supporter les plus lourdes grappes, sans risquer de briser nos branches. Nos frères qui vivent en liberté sont obligés de ramper et de s'accrocher là où ils le peuvent! Ils traînent à terre leurs fruits qui pourrissent à la première pluie.

«Le vigneron coupe les sarments pour nous débarrasser du bois mort et éclaircir notre feuillage qui, trop épais, empêcherait le soleil de mûrir nos raisins. Contrairement à ce que tu penses, les hommes nous entourent de soins jaloux et d'attentions constantes. Pour leur peine, nous leur donnons les meilleurs vins que l'on puisse boire!

«Malheureusement, nos ennemis sont nombreux: le gel, la grêle et la maladie déciment nos rangs. Mais la sécheresse est le plus redoutable, car nous devons nous contenter de l'eau que le ciel nous envoie parcimonieusement.

«Aussi, je te demande d'écouter ma requête:

«Détourne-toi un peu de ton chemin, va vers l'ouest et ensuite, remonte en direction de Bordeaux. Arrose sur ton passage les vignobles que tu rencontreras. Abreuve nos terres assoiffées et fais revivre, par tes eaux, toute la Gironde!»

Le rusé avocat plaida habilement sa cause:

«Je sais qu'il me suffirait de faire appel à ta seule générosité pour obtenir ton assentiment; du sang gascon ne coule-t-il pas dans tes veines?

«Mais tu n'as pas affaire à des ingrats.

«Il nous a été confié, ajouta-t-il, que dans ta jeunesse, tu rêvais d'ambitieuses conquêtes. Ta réussite actuelle, quoique non négligeable, est loin d'être à la hauteur de tes mérites... Si tu acceptes ma proposition, tu seras récompensée au-delà de toutes tes espérances. Tu deviendras riche et célèbre, non seulement dans notre pays, mais dans le monde entier!

«Crois-moi, sans vouloir médire de ton pays natal, les châteaux que nous bâtirons ensemble ne seront pas des châteaux en Espagne!»

Qui aurait pu résister à un tel langage?

Pas la Garonne, en tous cas. Charmée et conquise, c'est sans se faire prier davantage qu'elle emprunta l'itinéraire que nous lui connaissons.

Et c'est dans la force de l'âge qu'elle atteignit Bordeaux.

Ses eaux, assagies, avaient modéré leurs transports et, à l'image de ses riverains, elle était devenue plus pondérée et plus profonde.

La Garonne s'intéressa à des sujets qui ne la préoccupaient guère auparavant. Ses goûts changèrent. Sans délaisser l'opéra, elle fut attirée par les symphonies. Les rythmes lents et puissants de leurs mouvements s'accordaient parfaitement avec les siens.

Elle lut Montaigne, et ses *Essais* la firent beaucoup réfléchir. Elle vit le monde sous un autre jour et se posa des questions sur sa destinée.

Elle ne fut pas étonnée de la longue patience des Médocains qui, sans perdre un jour, tiraient de leurs vignes des satisfactions proches de la félicité.

Elle aima davantage les hommes pour leur courage et leur persévérance qui les amenaient, suivant les saisons, à refaire éternellement les mêmes gestes, qui prenaient ainsi l'allure de rites.

Les plus petites choses lui parurent avoir une signification, même si celle-ci lui échappait souvent.

Comme on le lui avait prédit, sa réputation dépassa largement les frontières.

Ce ne fut pas seulement à cause des vins uniques qui faisaient la gloire des châteaux qui la bordaient, mais aussi parce qu'elle avait su faire le bonheur de ses riverains, qu'elle avait abreuvés, nourris et servis de son mieux.

Averti de l'approche de ce bon serviteur, l'océan, dans sa grande mansuétude, décida de se porter à sa rencontre.

Pour bien montrer l'estime dans laquelle il la tenait, il lui creusa un estuaire si large que de son milieu, on en voyait à peine les bords!

Craignant de ne pas arriver à temps, les rivières situées au bord du bassin de l'Aquitaine dépêchèrent la plus rapide d'entre elles pour assister le vieux fleuve dans ses derniers moments.

Comme on peut le lire sur la carte, c'est sous le nom de Gironde que la Dordogne et la Garonne réunies firent ensemble leur dernier voyage.

Pendant celui-ci, la Garonne eut le temps de se remémorer les différents passages de sa vie, remontant par la pensée jusqu'à sa source.

Elle soupçonna le hasard d'avoir contribué activement à guider ses pas.

«Maintenant que me voilà arrivée, se disait-elle, tout ce chemin parcouru doit avoir un sens!

«Née sans l'avoir demandé, j'ai utilisé de mon mieux les dons que j'avais reçus. La satisfaction que j'en retire ne serait-elle pas annonciatrice d'autres récompenses plus importantes?

«Et d'abord, qui pourrait exiger davantage sans en dire plus?»

Sur cette voie royale, où déjà l'eau et le ciel se touchaient, elle entrevoyait l'infini...

Elle remit ses dernières volontés à son fidèle courant qui n'en pouvait plus, malgré le secours de la Dordogne.

Les deux amies se séparèrent à la Pointe de Grave, après avoir échangé d'humides adieux.

La Garonne ne regrettait pas d'avoir vécu. Qui serait capable de lui enlever ses joies et ses peines, ce qu'elle avait vu et appris, l'amour qu'elle avait donné et reçu? Quel inestimable bagage elle emportait...

La vieille dame, sereine, s'abîma avec une lente majesté, dans l'océan Atlantique.

Au sein de ces eaux, elle espérait pouvoir trouver, en plus d'un repos bien mérité, la réponse aux questions qu'ici-bas, elle s'était vainement posées.

• • •

Maintenant que vous connaissez la fin de cette histoire, si un jour vous allez du côté de la Garonne, ne soyez pas étonnés d'y voir ses habitants étrangement coiffés.

C'est qu'en signe de deuil et de reconnaissance, ils portent, crânement posé sur la tête, le fringant béret noir.

LE VISITEUR

À Paule

L'histoire se passa, il y a très longtemps, au monastère de Montmirail, qui est bâti sur une hauteur le long de la Garonne, entre Agen et Marmande.

À ce moment-là, le monastère était transformé en couvent, après avoir connu diverses fortunes.

Construit par des moines au milieu du XIIe siècle, il domine encore la vallée de ses murailles plusieurs fois centenaires. Ses bâtisseurs en firent autant une forteresse qu'un lieu de pèlerinage.

La contrée était peu sûre à l'époque: les brigands et les bandes de soldats qui, entre deux guerres, ravageaient les campagnes, tentèrent vainement de le réduire.

Sa position, ses fortifications et l'ardeur de ses défenseurs le mirent à l'abri des convoitises. Sa tour de guet abritait une cloche qui tintait à la moindre alerte, invitant les paysans des environs à venir se réfugier dans ses murs.

Situé sur le chemin de Saint-Jacques-de-Compostelle, il avait connu de glorieux moments. Les pèlerins étaient assurés d'y trouver asile et sûreté.

Allant vers l'Espagne, de grands personnages y firent étape. Leurs dons généreux permirent aux moines d'entretenir l'immense bâtisse.

Par la suite, d'hospice qu'il était, il devint hôpital. Puis il fut abandonné un certain temps, avant d'être finalement occupé par des religieuses qui en firent un couvent.

Il avait résisté victorieusement à tous les assauts, et seul le temps en venait à bout.

Il lui avait d'abord enlevé la partie nord qui, battue par les pluies et les vents d'hiver, s'était écroulée.

La face ouest, mal défendue contre les intempéries venues de la mer, menaçait ruine. Un peu partout, de profondes brèches pénétraient jusqu'au cœur de la citadelle.

La toiture, après une longue résistance, s'effondrait par endroits.

Il eût fallu beaucoup d'argent pour restaurer le monastère.

Malheureusement, l'ordre auquel appartenaient nos religieuses était pauvre, et celles-ci durent se résoudre à n'utiliser que la partie sud encore habitable.

Les premières Supérieures surent tirer parti des maigres ressources dont elles disposaient, mais, au fil des ans, il ne resta plus que quelques religieuses qui subvenaient de plus en plus difficilement à leurs besoins.

L'abandon dans lequel se trouvaient les lieux fut contagieux et il se répercuta sur la tenue des couventines, qui renoncèrent à leur tour à toute forme d'entretien.

De négligé, l'endroit devint sale. Il était devenu la risée du pays. On disait même aux rares voyageurs qui s'y hasardaient d'apporter non seulement leur nourriture, mais aussi leur savon!

Deux ou trois Supérieures tentèrent de mettre un peu d'ordre, mais, jusqu'au jour où commence notre histoire, aucune n'y avait encore réussi.

Par une belle journée d'octobre, la malle de poste qui desservait la région s'arrêta au pied de la colline et y déposa une religieuse, nommée pour remplacer la Mère supérieure, récemment décédée.

Le cocher, après lui avoir remis son mince bagage, lui dit d'un ton apitoyé: «Dieu vous vienne en aide, ma sœur, vous en aurez grand besoin.» Et sans attendre de réponse, il fouetta ses chevaux, qui disparurent dans un nuage de poussière et un bruit de ferraille.

Le silence revenu, la religieuse s'engagea résolument sur le sentier qui, en grimpant, menait au couvent.

Encore jeune, pleine d'enthousiasme et de bonnes résolutions, notre sœur avait été informée des difficultés qui l'attendaient.

Elle savait aussi qu'elle avait été éloignée par des intrigues. De petite naissance mais de grand mérite, elle portait ombrage à des personnes de moindre talent qui estimaient qu'elle représentait une menace à leurs ambitions. Quoi qu'il en soit, sœur Marie-Thérèse était décidée à mener sa tâche à bien.

Après une montée assez rude, comme elle arrivait à mi-chemin, un reposoir surmonté d'une grande croix entourée de bancs l'invita à reprendre son souffle, tout en lui offrant une vue splendide.

À ses pieds, le ruban blanc de la route jouait à saute-mouton avec quelques raidillons dont les terres, déjà labourées, montraient leur ventre ocre.

Plus loin, une longue rangée de platanes l'accompagnait jusqu'aux vignes et, de là, elle jouait de nouveau à cache-cache avec les hauts peupliers qui s'alignaient en sentinelles le long de la Garonne. Celle-ci, que l'on apercevait en pointillés, barrait l'horizon d'un trait d'argent dont l'éclat, malgré la distance, était insoutenable.

Le ciel sans nuage était rayé par le vol des palombes, ces oiseaux migrateurs qui se hâtaient vers l'Espagne.

Tapies dans les creux, à l'abri des vents, se terraient de grosses fermes qui semblaient à l'affût, comme des araignées au milieu de leur toile. Des rangs de vignes rayonnaient tout autour, accentuant encore cette impression.

«Que la campagne est belle en cette saison! se dit la religieuse. Comme l'air y est bon et comme les formes y sont harmonieusement réparties! Tout y est en demi-teintes, les couleurs n'en finissent plus de se dégrader.

«Dans les parties basses, les gelées précoces ont déjà revêtu les feuilles de leurs habits de deuil, tandis que sur les hauteurs, le soleil dore encore les vignes qui ne se doutent de rien.

«Pour parfaire le tableau, l'automne, de sa main légère, y a ajouté un flou savant qui, tout en faisant le désespoir des peintres, adoucit encore le paysage.»

Émue par tant de beauté, la sœur leva un regard reconnaissant vers le ciel. Au passage, son œil s'accrocha à l'imposante bâtisse, but de son voyage. Vue d'en-bas, cette masse semblait presque élégante, et comme la distance en atténuait la décrépitude, sœur Marie-Thérèse la trouva rassurante.

Reprenant son chemin, elle grimpa, le cœur léger, gonflée de joie et d'espérance. «Il est vrai, se dit-elle, que sous un tel ciel et avec l'aide de Dieu, tout est possible!»

Il faisait encore jour lorsqu'elle souleva le heurtoir qui ornait la poterne. Le son s'amplifia comme dans une cathédrale, fit écho un moment et alla mourir quelque part derrière les murs.

Il se passa longtemps avant qu'un visage apparaisse à travers la grille et qu'on lui ouvre. Après s'être fait connaître, sœur Marie-Thérèse fut conduite par les nombreux couloirs et les étroits passages jusqu'à la partie habitée.

Moins de cinquante personnes étaient réunies dans l'immense salle qui servait de réfectoire et dans laquelle on avait déjà compté plus de mille couverts. Les mines défaites, plus que le brouet qui nageait dans les assiettes, firent comprendre à la religieuse dans quel dénuement physique et moral se trouvait la communauté.

L'accueil fut plutôt tiède, chacune étant persuadée que la nouvelle Supérieure ne pourrait rien changer à la situation actuelle.

Le lendemain, dès l'aube, celle-ci entreprit de faire le tour de son domaine. Le vieux chapelain qui la guidait commença par lui montrer ce qui tenait encore, ce qu'on avait pu sauver.

Le sol était recouvert de poussière et les murs, de crasse; on marchait sur des débris de toutes sortes, il y avait des trous partout.

Le cœur de la religieuse se serra lorsqu'elle visita la chapelle. L'allée centrale tout comme le chœur étaient encombrés de gravats. L'autel, surélevé, ressemblait à un navire en perdition au milieu d'une tempête. De rares bancs, îlots de prière, émergeaient çà et là, branlants et sales. Des fenêtres étroites, dont les vitraux ne laissaient passer qu'une lueur blafarde, rendaient les lieux encore plus désolés.

Les murs latéraux formaient, en se rejoignant, une voûte qui aurait été magnifique s'il avait été possible de l'apercevoir. «Notre-Seigneur est bien mal loti, dit le chapelain en se signant, mais nous sommes tous logés à la même enseigne!» Et c'était vrai.

En suivant le vieil homme, sœur Marie-Thérèse voyait régner partout le désordre et la désolation. Si les cellules étaient mal entretenues, les cuisines l'étaient encore plus.

Le potager, dont la majeure partie était en friche, n'avait pas été traité avec plus d'égards. Les herbes folles montaient à l'assaut des derniers carrés cultivés. Seul un rang de vigne, dernier rempart, tentait de contenir les ronces qui l'étouffaient. Les outils traînaient, et les barrières, défoncées, n'avaient plus rien à défendre.

Dans l'écurie vétuste, quelques poules tenaient compagnie à un âne efflanqué, tandis qu'une carriole, les bras en l'air, semblait prendre le ciel à témoin de tant de misère.

Dans le verger laissé à l'abandon, les hautes herbes rejoignaient les basses branches des arbres fruitiers, qui n'avaient pas été taillés depuis plusieurs années.

Des pommiers, aux fruits rachitiques, montraient le peu de soins qu'ils avaient reçus. Tout était à l'avenant: la végétation envahissait la place, sans plus se préoccuper de l'ordonnance des hommes.

À ce spectacle, la sœur se disait qu'avant de vouloir discipliner les forces généreuses de la nature, il fallait mettre de l'ordre en soi-même! Ce n'était qu'à ce prix que la récolte pouvait être belle et qu'elle récompenserait notre labeur. Ainsi pensait la Mère supérieure en regagnant le couvent.

Elle médita une bonne partie de la nuit sur ce qu'elle avait vu et appris, ne dormit guère et pria beaucoup. Toute autre que sœur Marie-Thérère aurait renoncé. La situation était catastrophique...

Pendant plusieurs jours, elle réfléchit, écouta les doléances, fit preuve de beaucoup de patience et de compréhension. Elle se garda bien de ne rien changer aux habitudes établies.

Lentement, elle élabora un plan qui, pour audacieux qu'il parût, n'en était pas moins réalisable.

Le dimanche suivant, jugeant que le temps était venu d'intervenir, elle rassembla ses ouailles après la messe et leur servit ce discours:

«Mes sœurs, je viens de passer quelques jours parmi vous et je comprends votre détresse. Vous avez donné votre vie à Dieu, et même si votre mérite est grand, vous savez que vous n'avez aucune récompense à attendre ici-bas.»

Le ton assuré et la voix ferme de la Supérieure en imposèrent tout de suite à ses compagnes et l'intérêt naquit dans quelques prunelles. Elle enchaîna:

«Avant que j'arrive, vous ne receviez du monde que de mauvaises nouvelles; isolées de tous, vous étiez oubliées.

«Malgré l'ardeur de vos prières, votre sort n'a guère changé.

«Mais Dieu vous a entendues, et voici ce que j'ai à vous dire...»

De poli, l'auditoire devint attentif, et c'est dans un silence impressionnant que sœur Marie-Thérère continua:

«Ma mère ayant fauté dans sa jeunesse avec un très haut personnage, je fus mise au monde en secret, et mon véritable nom, que je ne puis vous dévoiler, m'apparente aux plus grandes familles.»

Elle fit une pause, pour laisser à chacune le temps de revenir de son étonnement, puis elle ajouta:

«Avant de vous rejoindre, je rendis d'abord visite, sur sa demande, à un très grand seigneur que l'on donne pour mon père. Il m'a dit: *Je vous ai fait venir pour vous féliciter de votre nomination, et aussi pour vous prévenir de ma visite.*»

Quelques exclamations jaillirent dans la salle.

«De sa visite? Vous avez bien dit de sa visite?

— Oui, mes sœurs, j'ai bien dit de sa visite! *Les affaires de l'État*, a-t-il ajouté, *me retiennent pour encore un certain temps, mais je vous promets de venir vous voir en votre couvent de Montmirail d'ici la fin de l'année!*

— D'ici la fin de l'année? reprirent en chœur les religieuses, mais nous sommes déjà à la fin d'octobre!»

Le brouhaha fut tel que personne ne s'entendait; chacune s'exclamait et, de mémoire de couventine, on ne vit jamais une assemblée aussi mouvementée! Les commentaires fusaient de toute part.

Les unes trouvaient la visite trop prochaine, d'autres trop lointaine; plusieurs se demandaient quel pouvait bien être ce puissant personnage. Certaines avaient déjà trouvé: «C'est notre monarque, affirmaient-elles... à moins que ce ne soit son frère...»

Mais toutes étaient d'accord sur un point: on ne pouvait pas recevoir un visiteur de marque dans l'état actuel du monastère! Il fallait faire quelque chose.

On s'organisa, mettant sur pied différents comités et répartissant l'ouvrage. Les unes seraient chargées de remettre de l'ordre dans la lingerie, d'autres entreprendraient les salles de séjour. Il fallait aussi s'occuper de la chapelle, nettoyer les couloirs, préparer des appartements dignes de l'illustre visiteur.

Il fallait penser à tout, et les deux mois qui restaient y suffiraient à peine. Il faudrait rassembler beaucoup de cendres pour faire de la lessive, mouler du savon, fabriquer des brosses et des balais.

L'ingéniosité pallia la pauvreté. On dénicha des richesses insoupçonnées dans la partie abandonnée: de la belle vaisselle, du linge fin, des meubles encore en état, et même quelques belles pièces d'or, au fond d'un coffre.

La fièvre s'empara de toutes; on ne dormait plus, on mangeait à peine. Surgissait-il une difficulté? Aussitôt, quelqu'un trouvait un moyen de la contourner.

On fit appel aux gens du pays, leur faisant miroiter l'honneur qui allait leur échoir. Beaucoup d'entre eux donnèrent de leur temps ainsi que des matériaux pour consolider, aménager et remettre en état tout ce qui pouvait l'être.

Quelques dons furent faits de la part de personnes qui n'attendaient que d'être sollicitées. L'exemple fit tache d'huile: au château voisin, on entreprit des travaux qui avaient été longtemps retardés; on embellit des lieues à la ronde; l'esprit d'émulation aidant, chacun se préparait maintenant pour la visite. Ce fut pour le pays l'occasion d'un mémorable ménage!

Notre Mère supérieure avait transformé le couvent en chantier. Partout retentissaient les coups de marteaux et le grincement des scies. On s'interpellait et on chantait!

On dut même se gendarmer pour faire respecter le repos dominical, tellement l'enthousiasme était grand. Si une religieuse s'arrêtait un instant, une autre lui disait en passant: «Ma sœur, nous ne serons jamais prêtes si vous restez assise!»

Il en fut ainsi jusqu'à la mi-décembre. Puis les ouvriers partirent, jurant de revenir dès la belle saison.

Les jours avaient raccourci sans qu'on y prenne garde. Quelques oies sauvages fuyant à tire-d'aile rappelèrent à tous que l'hiver était venu, que les provisions de bois n'étaient pas rentrées, que Noël approchait et qu'il fallait encore se hâter pour d'autres préparatifs.

Le jour de la Saint-Urbain, patron de la paroisse, la Supérieure, toujours accompagnée du chapelain, refit le trajet qu'elle avait parcouru deux mois auparavant.

«Votre parent, dit le malicieux vieillard, est un monarque bien puissant. Regardez, comme à la seule promesse de sa visite, il a réussi à transformer nos religieuses!

— C'est un fait, répondit la Mère supérieure, qu'un véritable miracle s'est accompli. Rendons-en grâce au Seigneur et allons le remercier!»

Le travail effectué par tous en si peu de temps était prodigieux, mais c'est en franchissant le seuil de la chapelle que l'on constatait davantage l'importance de l'effort accompli.

Les vitraux, en laissant passer la lumière à profusion, dessinaient sur les larges dalles de capricieux dessins dont les formes et les couleurs changeaient à mesure que le soleil tournait.

La nef ainsi éclairée révélait le talent de l'architecte. Sans doute à cause des énormes voûtes romanes, il se dégageait de l'ensemble une impression de force indestructible. À cette époque, les bâtisseurs construisaient à l'image de leur foi: robuste, fruste, mais inébranlable.

D'habiles proportions atténuaient la lourdeur des piliers, tandis que l'œil glissait sur les arrondis qui masquaient l'épaisseur des murs. Ceux-ci, nettoyés et brossés, montraient de naïves fresques qui, malgré les années, gardaient toute leur fraîcheur.

Consolidés et cirés, les bancs brillaient dans un alignement impeccable. L'autel, dont les linges blancs faisaient ressortir l'austère crucifix, supportait son retable richement décoré.

On se sentait en sécurité dans ce lieu de prière, où tout invitait au recueillement.

Les deux promeneurs dirigèrent ensuite leurs pas des cellules aux communs, des jardins aux écuries. Partout, le sol était propre, les trous bouchés et les murs lavés. Dans les cuisines, les cuivres astiqués et les fours récurés promettaient une nourriture plus appétissante!

Pas une seule toile d'araignée, pas le moindre désordre n'entravèrent leur promenade. Dans le réfectoire, la grande cheminée abritait, sous son manteau, un tronc de chêne qui pétillait et ronflait énergiquement, chassant aux quatre coins le froid qui commençait à s'y installer.

Protégés par de nouvelles barrières, les jardins avaient fait leur toilette d'hiver. Les outils, soigneusement rangés dans leurs cabanes, attendaient le retour des hirondelles.

L'avenir était plein de promesses. Des échafaudages, laissés en otage, répondaient du retour des maçons.

Dans le pays, les habitants redevenus fiers de leur monastère laissaient entendre qu'une rente pourrait être versée pour l'entretien d'un si beau monument, car il aurait été dommage pour leur réputation de le voir tomber en ruine.

Il faut dire que les anciens moqueurs des paroisses voisines jalousaient maintenant les gens de Montmirail, craignant que ceux-ci ne détournent à leur détriment une partie de l'argent que leur versait l'évêché!

«Notre visiteur peut venir, dit le vieux prêtre à sa compagne, tout est prêt pour le recevoir.»

Mais les religieuses craignaient de ne pas avoir terminé à temps. On avait même établi des tours de guet pour ne pas être surprises. Cependant, au soulagement de toutes, il n'en fut rien.

Durant cette période fiévreuse, elles se posèrent beaucoup de questions qui restèrent sans réponse.

Le visiteur avait une dette envers la Mère supérieure, on se demandait si le monastère n'allait pas, sous son haut patronage, reprendre un essor digne de son passé, ou même étendre sa renommée au-delà des frontières!

On pourrait en profiter pour quémander des faveurs qu'il s'agissait dès maintenant d'établir. On supputait l'ordre dans lequel il serait préférable de les présenter afin qu'elles eussent les meilleures chances d'être acceptées.

À mesure que l'on approchait de la fin de l'année, l'impatience faisait place à l'inquiétude.

Et si le visiteur ne venait pas?

Les grands n'ont pas toujours le loisir de tenir leurs promesses, occupés qu'ils sont à gouverner.

Et Noël n'était qu'à quelques jours!

Mais la Supérieure rassura son monde, prétendant que son parent n'avait jamais fait une promesse qu'il ne pût tenir.

Pourtant, pendant la messe de minuit, les esprits étaient ailleurs: dans une semaine, ce serait le Nouvel An!

Tout cet ouvrage aurait-il été fait pour rien?

Allait-on de nouveau être abandonnées?

Le découragement gagnait les plus optimistes...

La stupeur fut grande lorsque sœur Marie-Thérèse prit la parole au moment du prêche:

«Non seulement notre visiteur est arrivé, dit-elle, mais encore il est parmi nous!»

Et, joignant le geste à la parole, elle désigna la crèche où l'Enfant-Jésus venait d'être déposé.

«Notre-Seigneur tient toutes ses promesses, ajouta-t-elle, mais ayez assez de foi pour le croire!

«Je tiens cependant à vous faire des excuses pour ce subterfuge qui m'obligea à vous mentir.

«Mes sœurs, si pour recevoir un prince de ce monde, vous déployez autant de zèle, comprenez que pour préparer la venue du Sauveur, rien n'est trop beau!

«Je vous félicite d'avoir tant travaillé. Vous avez soulevé l'enthousiasme autour de vous et vous avez, au-delà de toute espérance, transformé notre couvent ainsi que votre état d'esprit.

«Tant de belle énergie ne doit pas être perdue. Acceptez donc votre Visiteur et soyez dignes de Lui!»

La déception qui se peignit d'abord sur les visages fut vite remplacée par de la gratitude et de l'admiration pour cette Mère qui venait de leur faire comprendre, et de belle façon, la vanité des biens de ce monde!

La leçon fut salutaire, et à l'approche de Noël, on ne vit jamais un couvent préparer avec autant d'amour et de soin la visite du Sauveur.

LE CURÉ DE PINDÈRES

Si, en quittant Tonneins, vous tournez le dos à la Garonne et que vous piquez droit vers l'ouest, sur la route départementale qui longe le Cérons, vous serez étonnés du changement radical de paysage après seulement quelques kilomètres.

La terre grasse et lourde des prairies fait place à une autre plus légère et déjà veinée de sable. Des chênes trapus remplacent les élégants peupliers, et les terres labourées, les humides pâturages.

Le maïs et le tabac se succèdent, séparés par des rangs de vigne. Plantés à leurs extrémités, comme des points à la ligne, des arbres fruitiers ponctuent de leur ombre ronde les sillons soigneusement tracés.

Des champs de tomates soulignent en rouge les pâtés de maisons qui bordent la route. À intervalles réguliers, par leurs portes béantes, de grands séchoirs aux planches goudronnées s'apprêtent à engranger les récoltes.

En marge des cultures, des chemins aux ventres arrondis impriment dans les herbages leur blanc passage. Leurs bas-côtés profondément labourés par les roues des charrettes portent les empreintes parallèles de deux sillons stériles.

Dépassant les plus hautes frondaisons, quelques magnifiques noyers s'inscrivent dans le paysage en lettres majuscules. C'est dans ce livre ouvert que l'homme et la nature écrivent ensemble les plus belles pages de leur histoire.

La route s'élève paresseusement, évitant par de larges détours les moindres raidillons. Un peu plus loin, des pins solitaires postés en sentinelles annoncent la forêt landaise. La route serpente à travers un bois de châtaigniers, glisse au bord d'un étang endormi et caresse la croupe d'une colline.

À sa gauche, après un virage d'adieu, elle laisse partir un chemin poudreux qui, fou de liberté, file sans demander son reste.

Ah! le beau petit chemin! Il faut le voir folâtrer dans la campagne, saluant au passage la haie d'aubépines, disant bonjour au merle et courant se rafraîchir au ruisseau!

Enfant, il joue aux quatre coins avec les fermes qu'il rencontre puis, insouciant, il leur tourne le dos. Distrait, il va, par quelques détours, chercher une maison qu'il allait oublier. Complaisant, il n'hésite pas à desservir de vieilles demeures, délaissées par les grands chemins! Curieux, il se hisse le plus haut qu'il peut, pour voir où il va. Par d'audacieux virages, il ferme presque sa boucle.

Il va, il vient, monte et descend, s'attarde, puis se hâte dans de vertigineuses descentes. Qui n'a pas connu, dans sa jeunesse, un tel petit chemin? Le mien mène à Pindères.

Le haut clocher qui perce à travers le rideau mouvant des marronniers laisse espérer un important village. Les maisons se rapprochent, les jardins font place aux champs, les fruitiers aux pinèdes.

Les premières bâtisses, avec leurs coquets jardinets, sont jalousement gardées par de piquantes haies de rosiers. À l'arrière des maisons, on devine, cachés par des barrières à claire-voie, d'humbles rangs d'oignons et des carrés de choux. Sur leur façade, elles ont mis, pour recevoir les visiteurs, leur tablier fleuri et leurs plus beaux atours.

Petits, mais soigneusement entretenus, les jardins d'agrément rivalisent d'originalité et de bon goût. Si les fleurs en pot, plus délicates, parviennent à s'imposer par leurs riches couleurs, celles mises en terre se rachètent par leur parfum étourdissant. Il a certainement fallu une longue pratique pour si bien assortir ces odorants et gracieux arrangements.

En ce début d'après-midi, la rue principale est déserte. Ses habitants, tout comme leurs animaux, écrasés par les fortes chaleurs d'août, font la sieste derrière leurs volets clos.

Dans un moment d'exaltation patriotique, les maisons, qui maintenant se touchent, débaptisèrent le chemin, au profit du nom démocratique d'«Allée de la République». Mais, à part la demoiselle des postes et l'employé du cadastre, tout le monde, malgré sa duplicité, continue d'appeler le «Chemin de Pindères» par son nom.

Habile dissimulateur, celui-ci avait dû ôter le blanc habit de poussière qu'il portait à la campagne pour revêtir, durant quelques kilomètres, le noir manteau d'asphalte qui goudronne les rues de la commune.

On soupçonna d'ailleurs les marronniers qui avaient la garde de l'église d'avoir pris ombrage de l'élégant clocher et, retournant leurs vestes, de s'être joints à ce complot républicain. Le conseil municipal, désireux d'afficher ses nouvelles convictions, s'empressa d'entériner l'affaire. Si bien qu'aujourd'hui, des poteaux indicateurs signalent au passant, en même temps que le nom de l'avenue, les opinions politiques des Pindériens.

C'est un village pareil à tant d'autres, avec ses quelques commerces, son unique café, son bureau de poste, sa minuscule mairie et sa belle église.

Celle-ci semble même un peu déplacée pour une population si modeste. D'abord par ses dimensions, car elle pourrait facilement contenir les fidèles de plusieurs paroisses réunies. Ensuite, par son insolite beauté, car elle possède tous les ornements d'une cathédrale.

C'est qu'on avait utilisé pour sa construction, et sans qu'il en coûte un sou, de la belle pierre déjà taillée, trouvée sur place et provenant d'un sanctuaire romain tombé en ruine. L'évêché de l'époque fit un effort particulier pour que ce nouveau lieu de prière éclipse par sa splendeur l'ancien site païen. Le résultat fut concluant: même les mécréants qui ne mettaient jamais les pieds à l'église étaient fiers de leur monument!

Grâce aux soins diligents du maire qui, par cette prouesse assurait sa réélection, le village fut l'un des premiers du département à connaître les bienfaits de l'électricité.

Hélas! si les gens oublient rapidement leurs bienfaiteurs, ils conservent longtemps en mémoire leurs jalousies et leurs rancœurs! D'autant plus que l'opposition ne se gênait pas pour faire courir les bruits les plus diffamants.

Le patron du café soutenait avec plusieurs autres que la venue de l'électricité avait enrichi l'épicier Bernède (qui était en même temps le maire), au détriment de la population! Ils se basaient sur le fait que le commerçant avait depuis lors doublé les dimensions de son magasin, triplé ses terres et au moins multiplié par dix le nombre de personnes qui lui devaient de l'argent!

Ils ne s'expliquaient pas le curieux phénomène qui avait fait coïncider la pose des premières lignes électriques avec le diplôme d'électricien de son fils! Sans perdre de temps, celui-ci s'était installé au village, vendant à prix fort toutes les merveilles que procurait cette belle invention. Rachetant, réparant, échangeant, il eut tôt fait d'amasser une fortune que l'on estimait au moins égale à celle de son père!

Le maire expliqua que les faits qui lui étaient reprochés par les uns étaient favorablement interprétés par les autres, qui n'avaient pas les moyens de se moderniser. Ceux-là trouvèrent toujours en sa famille des interlocuteurs attentifs et complaisants.

Cette politique permit à l'argent de rester dans la commune, plutôt que de filer entre des mains étrangères! D'ailleurs, personne, pas même l'opposition, ne songea à nier les dons nombreux et substantiels que firent les siens aux divers organismes paroissiaux et charitables! Dans les cas de ce genre, vous ne pouvez éviter une certaine suspicion, même si votre conscience vous laisse en repos.

Avec l'approche des élections, le ciel, déjà nuageux, s'assombrit encore davantage. Comme le lui avait fait remarquer son inséparable adjoint, le chef cantonnier Lavigne: «Si tous les gens qui te doivent de l'argent votent contre toi, nous allons nous retrouver dans l'opposition!

«On pourra facilement limiter les dégâts, lui avait rétorqué le premier magistrat. Nous rappellerons aux emprunteurs qu'advenant notre défaite, les taux d'intérêt risquent de faire un bond si élevé, lors des prochaines échéances, qu'ils pourraient atteindre le plafond permis par la loi!»

Mais il y avait pire. En même temps que le confort, l'électricité avait apporté un élément subversif redoutable. Sous la forme d'un poste de radio, l'administration municipale avait laissé pénétrer dans la place un véritable cheval de Troie.

Jusqu'à ce jour, la commune était divisée en deux catégories bien distinctes: les riches et les pauvres, ces derniers, moyennant salaire, travaillaient pour les premiers à des prix établis par la loi de l'offre et de la demande. Par exemple, dans le temps des récoltes, les journaliers étaient courtisés par les propriétaires tandis qu'à la mauvaise saison, les chômeurs devaient vivre de leurs économies.

Malheur aux cigales et à ceux qui avaient tout dépensé durant l'été! Ils trouvaient l'hiver bien long! Il en avait toujours été ainsi, et personne n'y trouvait à redire, chacun acceptant avec philosophie le sort qui lui était échu.

Tout changea du jour au lendemain. Par le truchement de la radio, quelques suborneurs promirent monts et merveilles aux travailleurs agricoles, à la seule condition qu'ils acceptent de s'associer! Ils illustraient leurs dires par des exemples pris dans les villes, parlant de syndicat, de cotisations, d'union sacrée et de lutte des classes.

Avec ce nouveau langage, les patrons devenaient des exploiteurs, et les ouvriers, des camarades syndiqués. Les contestataires se réunissaient de plus en plus nombreux au *Café du Cercle*, écoutant la pernicieuse émission agricole intitulée «À qui profitent nos terres?», pour ensuite la commenter dans d'orageux débats.

Autour de la table s'asseyaient parmi les habitués ceux qui n'avaient pas les moyens d'acheter un poste de radio, mais qui laissaient une bonne partie de leur paye entre les mains de Castagnet, le cabaretier.

Celui-ci, l'oreille distraite mais l'œil aux aguets, allait de l'un à l'autre, la serviette sur l'épaule et la bouteille à la main, guettant le discret signal qui l'autoriserait à remplir promptement les verres.

Il lui arrivait d'anticiper sur le signe convenu et de servir un peu trop vite les clients dont les coupes étaient presque vides, et cela, malgré les protestations de ceux qui se laissaient surprendre! Disons à leur décharge qu'à ce moment-là, ils avaient généralement la tête tournée du mauvais côté... Heureusement que ces étourdis, peu rancuniers, pardonnaient rapidement au patron son zèle intempestif.

L'assemblée, assez hétéroclite, était surtout composée de mécontents. Il y en avait de toutes sortes. Depuis les gagne-petit et les jeunes qui revenaient du service militaire, jusqu'aux imprévoyantes cigales dont nous parlions tout à l'heure, en passant par quelques paresseux souvent doublés d'ivrognes, sans oublier ces idéalistes qui rêvaient d'un monde meilleur et surtout de partager la richesse des autres! Ceux-là étaient les plus dangereux. Ils menaçaient non seulement l'ordre établi, mais aussi ses représentants qui étaient personnifiés dans la commune par les membres du conseil municipal.

Par un curieux concours de circonstances, tous ces élus se partageaient, suivant leur fortune, les postes les plus importants. Sautant à des conclusions hâtives, les contestataires prétendaient que la démocratie était un leurre... mais que sous la République, ces gauchistes, en additionnant leurs votes, pouvaient envahir la mairie!

Jusqu'à présent isolés, ces opposants avaient été facilement contenus. Maintenant, groupés au Cercle sous l'égide de Castagnet et prenant leurs ordres du poste de radio, ils commençaient à représenter une force avec laquelle il fallait compter. Ils n'étaient pas les plus nombreux, mais la droite, affaiblie et divisée par d'interminables querelles, serait battue aux prochaines élections!

Le maire n'en dormait plus. Il avait bien essayé d'expliquer la situation aux mieux lotis parmi ses administrés. Mais ceux-ci étaient bien trop occupés à plaider, à courir après les héritages et à arrondir la dot de leurs filles pour avoir le temps de s'occuper de ces bagatelles! Lorsque toutes ces têtes vides auraient compris le danger, il serait trop tard!

Bernède, comme il le faisait toujours dans les moments difficiles, demanda conseil à son épouse, prénommée Lucille, qui avait une heureuse influence sur son mari. C'est elle qui, par ses gestes charitables, compensait dans une large mesure les indélicatesses commises fréquemment par son époux. Combien de paroissiens, lésés par le maire, trouvèrent en sa femme d'aimables compensations... tandis que leur épouse ne faisait jamais vainement appel à son cœur compatissant!

C'était une grande femme assez belle qui avait eu une jeunesse orageuse. Maintenant ouverte à tous, elle avait l'âge où sa bourse était plus sollicitée que ses autres faveurs! Elle en avait pris son parti et apportait à son mari plus de voix par sa générosité proverbiale, qu'il n'en obtenait par ses discours et ses promesses.

Naturellement, celui-ci n'était pas dupe. Faisant feu de tout bois, il estimait qu'il lui fallait bien payer de quelque façon la rançon qu'exigeait sa popularité et, par conséquent, la mairie!

Puisque le besoin qu'avait Lucille de se donner ne trouvait plus sur cette terre que de rares échos, elle détourna vers le ciel le champ de ses débordantes activités. Si bien que lorsque le maire lui fit part de son angoissant problème, il ne fut pas tellement étonné de s'entendre répondre qu'il frappait à la mauvaise porte et que c'est plutôt à Notre-Seigneur qu'il lui fallait demander assistance.

Hélas! sa foi chancelante ne lui permettait pas de croire que Dieu, qu'il supposait très occupé, trouverait le temps d'intervenir dans la politique de sa commune. En cela, il avait tort!

Suivant leur cours, les pensées du maire le dirigèrent naturellement vers l'église. Il se rappelait les grandes processions de sa jeunesse, portant sur ses épaules la lourde statue de saint Joseph, patron de la paroisse; il se remémorait les longues vêpres, qui occupaient une partie de l'après-midi du dimanche, mais aussi la sortie des messes où l'on courtisait les filles.

Elles étaient, sous leur voile de crêpe transparent, aussi belles que des mariées. À cette évocation, des souvenirs aimables lui revinrent à l'esprit; ils portaient tous des noms de jolies filles: Suzanne, Rosette, Marion et bien d'autres encore...

Ah! l'heureux moment où il pouvait, libre comme un papillon, aller de l'une à l'autre butinant de charmants souvenirs, risquant à tout instant de brûler ses ailes à quelque amour enflammé et, en les perdant, d'aliéner sa liberté! Doux et enivrant dilemme!

L'église était toujours là, debout, imposante, mais derrière ses portes closes, elle était vide! Le drame débuta il y a longtemps lorsque les jeunes commencèrent à déserter la terre pour aller chercher fortune à la ville. Le dépeuplement s'accentua et le taux de natalité atteignit un niveau si bas que chaque naissance était devenue un événement.

Beaucoup de paroissiens qui jusque-là allaient à l'église comme on va au spectacle, plus pour regarder et être vus que pour prier, abandonnèrent les uns après les autres presque toute pratique religieuse. On ne les retrouvait plus qu'aux sacrements... et surtout à leurs derniers!

Voyant cela, le bon Dieu économisa les vocations, qu'il réservait sans doute à des époques plus méritantes. Les prêtres se firent rares et, lorsque celui de Pindères mourut, il n'y eut personne pour le remplacer. Voilà pourquoi cette belle église qui faisait l'orgueil du pays n'avait plus de curé.

Le premier magistrat en était là de ses réflexions lorsque, fulgurant, lumineux, le moyen qui lui permettrait de triompher de ses adversaires lui apparut dans son évidente simplicité.

Sa femme avait eu raison d'invoquer le ciel. L'instrument capable d'écarter les impies de la mairie était bien entre les mains du Seigneur: il fallait à Pindères un nouveau curé! Lui saurait rameuter ses troupes dispersées, convaincre les tièdes et les hésitants, et ramener dans le giron de l'Église les brebis égarées. Une fois l'union réalisée, le maire se ferait fort d'utiliser à son profit cette Sainte-Alliance pour l'opposer à l'association des travailleurs syndiqués. Il s'en frotta les mains de contentement.

Avec Lucille, son infidèle alliée, ils partirent en croisade. Ensemble, ils dressèrent la liste de ceux qui seraient susceptibles de soutenir leur cause, puis ils firent établir par l'instituteur une requête en bonne et due forme à l'intention des autorités religieuses, pour quémander un nouveau prêtre.

La pétition, adroitement rédigée, fut présentée séparément à leurs concitoyens. Chacun de son côté faisait signer ceux qui, pour une raison ou pour une autre, ne pouvaient pas refuser d'y apposer leur signature. Soit par conviction, soit par crainte ou reconnaissance, les noms s'ajoutèrent nombreux au bas de la supplique. À tel point que si l'on n'avait pas vu celle-ci s'allonger de la sorte, on n'aurait jamais pu imaginer qu'il existât un si grand nombre de pratiquants dans une si petite paroisse!

D'autres pétitions, habilement suggérées, arrivaient de toutes parts sur le bureau du maire. Lorsqu'il jugea que les signataires étaient en nombre suffisant, il fit agir ses relations.

Le président du conseil général de son département, à qui il avait déjà rendu service, avait l'oreille d'un sénateur, qui lui-même était au mieux avec le sous-préfet, dont les bonnes relations avec l'archevêché était connues.

L'administrateur voyait d'un bon œil la reconstitution d'une commune dont les éléments stabilisateurs, clergé et pouvoir civil, avaient été un moment séparés. Chargé du maintien de l'ordre et très sensible à tout ce qui pouvait le perturber, il voyait dans cette affaire le prétexte qui lui permettrait, dans la mesure de ses limites, de poser un geste conciliateur envers le clergé, tout en respectant les aspirations de la population.

C'est chaleureusement qu'il recommanda à l'évêque, par personne interposée, la requête de Pindères. Indépendamment de tous les rapports favorables qu'il recevait par voie hiérarchique, le prélat, qui se méfiait des pétitions, fit sa propre enquête.

Ce fut Lucille qui, encore une fois, sauva la situation. Il était évident que cette femme possédait une foi contagieuse. De plus, sa remarquable générosité était un exemple qu'il fallait encourager. Mais les mobiles de son mari étaient plus obscurs. Ne voulant pas nuire au climat de détente qui s'instaurait entre les différentes autorités départementales, l'évêque accepta cette requête si bien présentée.

Quelques mois plus tard, le maire fut convoqué à l'évêché, où il fut reçu en audience par le prince de l'Église. Après les politesses d'usage, celui-ci entra dans le vif du sujet.

«Monsieur le maire et mon cher fils, je suis très heureux de porter à votre connaissance les décisions que nous avons prises au sujet de votre demande, et je tiens personnellement à vous en faire part.

«Compte tenu de la piété remarquable de vos concitoyens et du fait que le curé Dubos, votre voisin, est à la veille de prendre sa retraite, et considérant les dimensions suffisantes de votre admirable église, nous avons pris la décision de réunir ces deux paroisses pour n'en faire qu'une seule, la vôtre!»

Rougissant de bonheur, le maire, dans un élan de pieuse reconnaissance, se jeta aux genoux du prélat pour baiser son anneau épiscopal. L'évêque tempéra d'un geste de dénégation l'enthousiasme de son interlocuteur.

«Mon fils, ne vous réjouissez pas trop vite, l'avertit-il. Vous pourriez regretter votre démarche.»

Le maire, étonné, protesta avec une belle assurance, mais c'est d'une voix où perçait déjà l'inquiétude qu'il interrogea:

«Monseigneur, que pourrais-je redouter d'un prêtre qui va redonner à notre église sa raison d'être?

— Eh bien, entendit-il rétorquer, pour satisfaire à votre demande, j'ai dû accomplir des prouesses! D'abord, vous le savez, nos prêtres sont peu nombreux, et il n'était pas non plus question d'en retirer un de son ministère. Ma seule ressource était donc de me rabattre sur nos pères handicapés soit par l'âge, soit par la maladie.

«Celui que je vous envoie est un jeune homme qui rêvait de l'Afrique. Sa santé chancelante l'obligea à de moins lointaines missions. Il sort d'un sanatorium, et le médecin lui a recommandé l'air de la campagne pour mener à bien sa convalescence. Ce n'est pas tout. Il vient d'une petite ville et il n'a pas la formation pour exercer un ministère à la campagne.

«Enfin, ajouta non sans malice le haut dignitaire, qui venait de Moissac, je vous ai gardé la partie la plus délicate pour la fin. Ce prêtre vient du Nord: il n'a ni notre parler ni nos coutumes et encore moins notre tolérance. Dans un sens, il va pouvoir réaliser ses vœux d'évangélisation, car je devine qu'avec vous, il va se trouver en pays de mission plus vite qu'il ne le pensait... En résumé, il n'a pas la santé ni l'expérience et pas non plus l'accent. Mais c'est le seul dont je puisse actuellement disposer. Il faudra vous en accommoder!»

Les quelques visites paroissiales que faisait à Pindères le vieux curé de Sigalens s'espacèrent d'autant plus que l'hiver rendait ses déplacements difficiles. Ce fut avec un grand soupir de soulagement qu'il accueillit la bonne nouvelle: enfin un remplaçant! Même s'il l'avait demandé tous les jours dans ses prières, il ne s'attendait plus à être exaucé.

Après trente-sept ans de ministère, le curé Dubos les connaissait bien, les Pindériens! Pas de mauvais bougres, mais pas très dévots, comme beaucoup d'habitants de la région d'ailleurs, plus intéressés aux biens de ce monde qu'à leur salut éternel.

Bons vivants, pratiquant une généreuse hospitalité, prodigues des produits de leurs terres, mais avares de leurs sous; chicaneurs, mais respectueux de la propriété d'autrui. En somme, malgré leurs travers, c'étaient de braves gens et le bon Dieu, dans sa mansuétude, ne les disputerait pas trop pour quelques manquements à l'Église.

L'âge aidant, le prêtre n'allait plus qu'à l'essentiel. Ignorant les peccadilles, il jugeait davantage ses paroissiens sur leurs qualités de cœur plutôt que selon les commandements.

Au fil des ans, une solide amitié s'était installée entre eux. Dans sa jeunesse, il avait su gagner leur estime en se joignant à leurs travaux et en donnant un coup de main dans le temps des récoltes. Fils de paysan, il ne rechignait pas à la besogne. «Notre curé, c'est un homme!», disaient ses ouailles avec orgueil.

Au soir de sa vie, une profonde tristesse l'envahissait à l'idée de les quitter. Ils lui témoignaient leur reconnaissance par de petites attentions, d'autant plus touchantes que sous leurs airs bourrus, ils dissimulaient une grande délicatesse. Pas plus tard que ce matin, ce galopin de Lescure qui, malgré ses trente ans, posait encore des collets, lui apporta un gros lapin de garenne en lui disant:

«Prenez-le sans gêne, Monsieur le curé; en cette saison, ils ne sont pas bons comme en été, aussi les marchands n'en veulent pas.»

Alors que justement, ce garçon qui n'était pas très riche, aurait pu, à cause de leur rareté, en tirer un bon prix en le proposant à l'aubergiste.

Ces campagnards n'avaient nullement besoin de leur curé pour gérer leurs petites affaires. Il devinait qu'à travers tout le respect que ces gens lui portaient, une bonne part était faite de crainte salutaire. Si, durant toute leur vie, ils acceptaient de mener une existence parallèle à ses côtés, c'est qu'ils étaient conscients qu'à la fin de leurs jours, leurs chemins se croiseraient.

Même les plus impénitents, sur le point d'entreprendre leur dernier voyage, essayaient à la dernière minute de se mettre en règle et d'obtenir leur visa. Le prêtre comprenait tout cela et, humble serviteur de Dieu, il faisait de son mieux pour rendre ses candidats aussi présentables que possible.

Difficile travail que celui où l'on espère toute sa vie, sans jamais voir la récolte! «Ma moisson a-t-elle été bonne, se demandait souvent le vieil homme, et combien d'ivraie dans le grain?»

Le nouveau curé avait fait coïncider sa venue avec l'arrivée du printemps. Le soleil, plus circonspect, ne risquait qu'un œil prudent au-dessus des nuages. En bon stratège, l'hiver vaincu se retirait lentement, abandonnant la campagne et masquant sa retraite par d'épais brouillards qui, en retombant, givraient le paysage. Malheureusement pour lui, les hirondelles ne se laissèrent pas duper par le frimas et allèrent partout annoncer sa défaite.

Les autorités municipales, en habits du dimanche, attendaient sur le parvis de l'église l'arrivée de leur nouveau pasteur. L'instituteur avait donné congé à ses élèves, et ceux-ci faisaient une haie d'honneur joliment fleurie. La cour de l'école était remplie de bicyclettes tandis que les attelages encombraient l'Allée de la République.

Le maire et son épouse avaient dû convoquer le ban et l'arrière-ban de leurs fidèles partisans pour parvenir à remplir le tiers de la grande bâtisse. Personne n'avait osé décliner la pressante invitation, pas même le boulanger Peyressoule, réputé pour ses bravades envers le clergé!

C'est qu'il venait d'acheter à crédit un pétrin électrique. La veille, le maire lui avait rappelé, au cours d'une visite amicale, le plaisir qu'il aurait à le voir à l'église. Plus efficace que de longs sermons, sa dette lui fit oublier ses propos licencieux et lui permit peut-être de sauver son âme! En effet, depuis ce jour, il comprit qu'il lui faudrait payer de sa liberté d'expression la modernisation de son entreprise.

Cantonnée de l'autre côté de la place, l'opposition laissait voir quelques visages hilares, mal dissimulés derrière les rideaux du café. Ces moqueurs étaient loin de se douter qu'ils allaient apercevoir un adversaire autrement plus redoutable que leur premier magistrat.

L'angélus de midi venait à peine de sonner que la grosse limousine de l'évêché stoppa devant tout ce beau monde, avec une ponctualité toute militaire.

Dépliant ses longues jambes, un escogriffe maigre et voûté sortit, tenant dans ses mains deux mauvaises valises. Le chauffeur qui l'accompagnait décrocha du porte-bagages une lourde bécane, comme on n'en avait jamais vu à Pindères. Elle était noire et haute sur roues avec un immense guidon et une selle surélevée. «C'est une bicyclette hollandaise», dit l'instituteur, qui avait beaucoup voyagé.

L'homme à la poitrine creuse leva les yeux vers le clocher et d'un œil connaisseur, il en apprécia l'audacieuse architecture. Posant ses valises, il se pencha vers les Pindériens, dont le plus grand lui arrivait à l'épaule, et serra sans mot dire les mains qu'on lui tendait. Puis, il pénétra à grandes enjambées dans l'église.

C'était l'abbé Clermont, le nouveau curé de Pindères! Clovis, qui trouvait toujours le mot juste, résuma l'opinion générale en s'exclamant: «Celui-là, c'est pas un marrant!»

Un regard circulaire du prêtre imposa le silence, après quoi celui-ci grimpa jusqu'à la chaire. Dès ses premières paroles, les fidèles se regardèrent, incrédules.

«D'où vient-il, ce curé?», osa même questionner Sidonie à voix basse.

«Mon adjudant avait la même voix», affirma Garrigue, qui avait servi dans l'infanterie à Nancy.

Les mèches blondes qui dépassaient de la calotte ne faisaient que confirmer leurs craintes.

«Il vient du Nord, c'est un curé nordique», se lamenta Darrieux.

«Un curé, c'est un curé», tenta d'intercéder le facteur, dont les origines douteuses remontaient plus haut que la Garonne.

À la sortie de l'église, les commentaires allaient bon train.

«En tout cas, il ne parle pas pour rien dire», admira Mariette qui ne pouvait en faire autant.

Le grand-père Lombard, en homme qui voyait loin, conclut:

«Je crains qu'avec cet abbé, la religion, ça va devenir du sérieux. On ne va pas s'amuser tous les jours!»

Le curé Clermont s'installa en spartiate, refusant tout confort. À contrecœur et suivant les ordres exprès de son médecin, il accepta la visite quotidienne de la veuve Rochon, qui préparait ses repas et mettait un peu d'ordre dans la cure.

La foule du premier jour s'éclaircit rapidement, et les bancs se vidèrent les uns après les autres, à la grande surprise du curé. En questionnant habilement les quelques vieilles qui constituaient tout son auditoire, celui-ci apprit le véritable motif de cette désertion.

Élevé rudement dans un climat rigoureux, Clermont possédait une foi austère qui ne s'entourait pas de vaines fioritures. Sa mission était de sauver les âmes, même les plus rebelles, et il ne s'étonnait pas outre mesure de la défection de ses paroissiens.

Depuis sa jeunesse, il avait été prévenu qu'à partir d'une certaine latitude, le soleil ramollissait les caractères et faisait fondre les résolutions les plus fermes. Soldat de

Dieu, il était fait pour les conquêtes. Il lui était maintenant donné de reconvertir les versatiles Pindériens: il allait s'y employer!

Avec son intelligence froide et pénétrante, il analysa la situation, en tira les conséquences et fixa sa conduite. Il fallait d'abord parer au plus pressé.

Il s'occupa avec ardeur du salut des malades et des vieillards. On le voyait courir les chemins dès l'aube, pédalant comme un dératé, portant les saintes huiles et administrant l'extrême-onction à droite et à gauche. Il arracha ainsi aux flammes de l'enfer plusieurs moribonds épouvantés d'apprendre que leur vie, qu'ils croyaient bien remplie, n'était en réalité que débauche et licence! Trop complaisants envers eux-mêmes, ils n'avaient pas su reconnaître Satan sous ses multiples déguisements!

Dans un deuxième temps, il s'occupa des enfants. Séparant les filles des garçons, il leur apprit le danger que pouvait représenter une telle promiscuité. Il fit si bien que ceux-ci se sentirent coupables, sans avoir péché. Avouez que ce moyen préventif est autrement plus efficace que les recommandations des parents!

Lorsqu'il eut embrigadé les enfants, il leur servit un catéchisme si édifiant que ceux-ci eurent honte de leur famille. Ils ignoraient jusque-là que les auteurs de leurs jours non seulement vivaient en compagnie du démon, mais encore qu'ils s'y complaisaient! Ils en avisèrent leur curé et devinrent de zélés délateurs.

Fort de ces renseignements, le prêtre augmenta son emprise sur ses paroissiens. Si bien qu'après seulement quelques mois de ministère, il se sentit capable d'entreprendre la gent féminine.

Clermont savait que la partie serait difficile, car l'adversaire était de taille. Étrange attitude que celle du clergé à l'égard de la femme! N'y avait-il pas, dans sa méfiance chronique envers cette séductrice, autre chose que la crainte de succomber à la tentation? Quelle force secrète avait-il décelée en elle pour autant la redouter et en faire cependant sa meilleure alliée? En effet, il aurait été vain de vouloir convertir les maris, sans avoir d'abord endoctriné leur épouse!

Se sachant détenteur de la vérité, il n'éprouvait aucune complaisance pour les malheureux qui la niaient, et encore moins pour ces égarés qui avaient reçu une formation religieuse et qui vivaient sans en tenir compte! Pour lui, la tolérance n'était que ruse du diable. Sous son aspect attrayant, elle dissimulait les germes du paganisme. «Comment peut-on être plusieurs, là où il n'y a de place que pour Un seul?», tonnait-il.

Son intransigeance sur les choses de Dieu le rendait redoutable. Il n'hésitait par à affirmer que la négligence des pratiques religieuses, combinée à l'irrésolution et au scepticisme, causait plus de tort à l'Église que tous ses ennemis réunis.

Il ne fallait pas croire que nous étions sur terre pour éprouver seulement du plaisir. Dieu ne nous pardonnerait pas aussi facilement nos fautes. Si, pour nous sauver, il avait dû sacrifier une partie de sa famille, il fallait bien qu'ici-bas, nous y mettions un peu du nôtre!

C'est justement ce qu'il tentait d'expliquer à cette mule de Langlade. Celui-ci ne comprenait pas qu'un Dieu aussi rancunier mette autant de conditions à la rémission de nos péchés, alors qu'il exigeait non seulement que nous pardonnions à nos ennemis, mais encore que nous leur tendions l'autre joue!

Les femmes, plus impressionnables, discutaient moins des dogmes et des mystères. En revanche, leur émotivité était telle qu'un prêtre jeune et beau avait plus de chances qu'un autre de leur faire parvenir le message évangélique.

Dans la trentaine, le curé Clermont n'avait pas été particulièrement gâté par la nature. Malgré ses yeux bleus, insolites dans la région, son visage blême et ses cheveux mal taillés ne plaidaient pas sa cause auprès des dames. D'autant plus qu'il n'était pas très soigné de sa personne.

Imperméable à l'humour, il ne plaisantait jamais, n'abordant que des sujets édifiants et sermonnant à tout venant. Or, c'était un fait reconnu que sous ces latitudes, les femmes, à cause de leur frivolité, étaient incapables de porter longuement leur attention sur les choses sérieuses...

Si encore il avait su tirer parti de sa maladie et de son teint de poitrinaire, il aurait pu toucher les cœurs et faire naître chez ses paroissiennes des sentiments de compassion. Hélas! il n'en était rien!

Par de sévères restrictions, il punissait son corps d'être aussi faible mais au lieu de le fortifier, il l'affaiblissait davantage. Il le fustigeait, croyant par là dompter sa pauvre carcasse et chasser le démon de ses pensées coupables. Tandis que son esprit malade était à l'abri des mauvais coups, son corps, lui, qui n'y était pour rien, subissait de graves sévices.

Entièrement dévoué à sa tâche, il était insensible à tout ce qui n'était pas directement lié à son ministère. Il ne s'était même pas aperçu, lors de son arrivée, que les Pindériens n'étaient pas les seuls à sortir leurs plus beaux atours pour le recevoir.

Le ciel avait pourtant balayé ses nuages et allongé ses jours. Pour le voir, les arbres avaient fait éclater leurs bourgeons qui n'en pouvaient plus de curiosité. La vigne, le long des murs, avait repris son ascension pour mieux le regarder. Et plus tard, lorsque la nature épanouie se parait de tous ses attraits, qu'avait-il remarqué?

Il n'avait vu l'arbre que pour son ombre, le tapis de mousse que pour son confort, le sentier que parce qu'il écourtait sa route, alors que ces chemins creux, pas plus larges qu'une charrette, s'efforçaient par mille attentions de rendre sa course moins pénible. Les frondaisons, en se rejoignant dans le ciel, formaient une voûte encore plus belle que celle de son église, tout en le protégeant également des insolations.

Aveugle, il ne voyait ni les mûriers, ni les baies sauvages et encore moins les fraisiers des bois qui lui tendaient leurs fruits rafraîchissants. Sourd, il n'entendait pas le concert assourdissant des oiseaux qui essayaient vainement d'attirer son attention. Même les ronces, qui tentaient de l'accrocher au passage, n'arrivaient pas à ralentir sa course.

Ce n'est qu'épuisé et haletant qu'il s'arrêtait en haut d'une côte pour reprendre son souffle. Abandonnant son infernale machine, il se laissait tomber sous le premier arbre venu.

La nature apitoyée lui octroyait alors quelque répit. Soudainement devenue silencieuse, elle étendait sous son corps fatigué un confortable lit de mousse puis, avec l'aide de Morphée, elle lui accordait une pause. À son réveil, déçu de s'être laissé surprendre par le sommeil, il soupçonnait le démon de lui avoir ôté quelques heures de son inlassable apostolat!

Parcourant le pays dans tous les sens, il allait dans les fermes les plus reculées, apportant les secours de son ministère à tous ceux qui les sollicitaient. Il n'acceptait en dédommagement que le verre de vin posé à son intention sur la table de la cuisine, et il le vidait d'un trait, comme on prend une potion.

L'alcool lui faisait du bien et éteignait, pour un moment, le feu qui lui brûlait la poitrine. À se soigner si mal, la maladie qui le rongeait regagnait du terrain.

Son admirable zèle eut sa récompense, car son exemple édifiant gagna les femmes à sa cause. Elles ne pouvaient en effet rester plus longtemps insensibles à un dévouement aussi désintéressé. Sans qu'il l'eût cherché, il avait trouvé le moyen de les conquérir!

Les unes après les autres, elles lui ouvrirent leurs portes et leur cœur. Elles parlaient de lui avec emphase, surenchérissant ses mérites. À tel point qu'un jour, la grosse Martha s'était écriée:

«Notre curé, c'est un vrai saint du paradis!

— Si c'est vraiment le cas, avait rétorqué son mari, ça ne sera pas drôle de vivre là-haut!»

C'est ainsi que se confirma la prophétie du grand-père Lombard. Soutenues par leur curé, les femmes menèrent dès lors la vie dure à leur mari.

Pris de panique et menacés dans leurs foyers, les hommes durent accepter de pénibles concessions pour obtenir une paix précaire. Plusieurs allèrent à la messe, d'autres se confessèrent, après s'en être abstenu durant les vingt ou trente années qui avaient suivi leur première communion! Certains regrettèrent leur ancien pasteur que pourtant, ils ne visitaient guère.

Muselée et écrasée, l'opposition connaissait ses pires moments. Harcelés par leur épouse, les mécréants courbaient la tête sous l'orage.

Le maire éprouvait des sentiments contradictoires. Certes, sa réélection était assurée, mais il devait la payer chèrement. Son épouse le harcelait, lui faisant perdre d'un côté ce qu'il avait péniblement gagné de l'autre.

Nombre de ses amis ne le saluaient plus, et s'il avait gagné des voix dans le monde rural, il avait perdu de précieuses amitiés au village. Ses affaires baissaient. Seuls ceux qui étaient ses obligés restaient ses clients, les autres, heureusement moins nombreux, s'approvisionnant ailleurs. Sans compter qu'il devait maintenant assister à tous les offices, et surtout cesser ses visites nocturnes chez la jeune et jolie veuve du pharmacien!

Se souvenant des avertissements de l'évêque, il se mit à penser qu'en effet, il changerait volontiers la mairie contre la paix retrouvée. Mais il était trop tard, et il devait faire contre mauvaise fortune bon cœur!

Comme dans bien des grandes batailles, ce fut le hasard qui décida de la suite des événements. La famille Courtemanche habitait un hameau situé tout en haut de la paroisse, lequel était desservi par un chemin qui montait continuellement, ce qui décourageait les visiteurs. Aussi, la maîtresse de maison fut-elle bien étonnée lorsque son aîné étant tombé malade, elle reçut tous les jours la visite du curé.

Dès que la guérison de l'enfant fut définitivement assurée, les parents, pour remercier le prêtre de ses bons services, lui envoyèrent une barrique de leur meilleur vin. Celui-ci provenait de la vigne qui mûrissait sur le coteau de Lespare et n'avait pas son pareil dans le pays. Le religieux l'apprécia particulièrement.

Les privations de tous genres que s'imposait notre pénitent, ajoutées à sa fragile constitution, l'obligèrent à fréquenter la barrique de plus en plus souvent. Il y puisait les forces nécessaires qui lui permettaient d'assumer son ministère.

On attribua ses premières chutes à de fâcheux accidents mais il fallut bientôt se rendre à l'évidence: le curé de Pindères abusait de la bouteille!

Il n'était pas rare de le trouver dans un fossé, couché d'un côté, sa noire bicyclette de l'autre, sentant le vin et incapable de se relever. C'était maintenant la veuve Rochon qui, renversant les rôles, le sermonnait en plus de lui cacher ses bouteilles! Le pauvre homme avait beaucoup changé en peu de temps. C'était pitié de le voir aller sur les routes, zigzaguant dangereusement et manquant plusieurs fois de s'estropier.

Comme la plupart du temps il était incapable de monter les marches de l'escalier qui menait à sa chambre, il fallut mettre son lit dans la cuisine. Mais à part quelques irréductibles anticléricaux, personne ne se moquait de lui. Même ceux de l'opposition ne goûtaient guère le spectacle d'un homme en train de se détruire.

Les gens disaient seulement que la religion lui était montée à la tête. Parce que maintenant, il voyait le diable partout et discourait tout seul, en faisant de grands gestes. Il avait bien essayé, entre deux vins, de lutter et d'endiguer le mal, se jurant de ne plus toucher à une bouteille, mais c'étaient là des serments d'ivrogne!

Les parents commencèrent à retirer leurs enfants du catéchisme, les visites à l'église s'espacèrent et de nouveau, les bancs se vidèrent. Les gens de la gauche reprirent du poil de la bête.

Pour le maire, c'était la catastrophe. Tout son savant stratagème s'écroulait! Et on était à la veille des élections. Les plaintes et les doléances commencèrent à arriver de toutes parts. Les gens de la campagne, en lui enlevant leurs voix, ajoutaient à sa déroute. L'unanimité qu'il cherchait, il l'avait faite, mais cette fois, contre lui!

En désespoir de cause, il demanda une fois de plus conseil à son épouse. Celle-ci, fort déçue, ne cacha pas que la situation était grave. Il fallait mettre hors d'état de nuire ce malade, cet ivrogne qui, par son mauvais exemple, mettait la paroisse à l'envers! On devait s'en défaire.

Des pétitions coururent de nouveau, mais cette fois, les signataires étaient aussi nombreux qu'enthousiastes. Les hommes jubilaient, tandis que leurs épouses juraient que l'on ne les y reprendrait plus et que si l'évêque voulait leur envoyer un autre prêtre, il faudrait qu'il soit du pays!

Tous étaient d'accord pour dire que la religion, même si elle était universelle, devait davantage tenir compte des particularités régionales. Que les gens du Nord gardent leurs curés, et nous garderons les nôtres!

Fort de ces nombreux appuis, le maire fit encore jouer ses relations, demandant qu'on le débarrasse de cet énergumène. Il obtint satisfaction, et chacun reprit ses habitudes.

Si bien que le jour des élections, grâce à son énergique intervention et à une opposition des plus conciliantes, le maire fut reporté au pouvoir avec une écrasante majorité.

LE BANQUET DES ANCIENS TRAVAILLEURS

Une des particularités du canton, c'est que chaque fête se termine obligatoirement par un banquet. Et les fêtes abondent. D'abord, les religieuses: la Saint-Michel, la Saint-Jean, la Sainte-Cécile. Puis viennent les patriotiques, celles des sportifs, des pompiers, et bien d'autres encore!

Une autre singularité, c'est qu'à chaque occasion, les mêmes personnes se retrouvent autour des mêmes tables, et au même endroit. Tour à tour s'assoient à la table d'honneur ceux que l'on honore ce jour-là.

Le menu varie selon les saisons mais il est toujours abondant, et les petits vins du pays, ces traîtres, vous laissent les jambes en flanelle et la tête vide! Chacun raconte les mêmes histoires que, bien entendu, personne n'écoute parce que tout le monde les connaît. Les jeunes remplissent les vides laissés par les vieux, du moins pour ceux qui ont traversé la rue et qui, maintenant, se reposent au cimetière.

À cette table, dont la permanence est ainsi assurée, se côtoient les francs-maçons, le clergé, la droite ainsi que la gauche; tous estiment que la célébration de la fête du jour se situe au-dessus des divergences d'opinion.

La trêve débute vers midi, à l'heure de l'apéritif, dans une ambiance de franche camaraderie. En hiver, elle ne dure guère, ne dépassant que rarement les fromages. En été, à cause de la chaleur, les escarmouches se font plus tardives, ne commençant qu'à la première fraîcheur. À cette heure-là, elles sont moins nombreuses, plusieurs belligérants étant déjà hors de combat.

En toute saison, les banquets se terminent de façon tumultueuse, les femmes devant venir chercher leur mari, d'abord pour les ramener à la raison, et ensuite, à la maison!

Par un bel après-midi d'automne, alors que le soleil achevait de dorer les raisins, les chasseurs fourbus regagnaient le village, l'un après l'autre. La gibecière pleine et le pas alourdi par la terre des labours qui collait à leurs semelles, ils arrivaient de toutes les directions, car chacun avait son terrain de chasse soigneusement délimité.

Qu'il chasse la plume ou le poil, lorsqu'arrive l'ouverture, le Figuerolais délaisse ses occupations. La forge s'éteint, le menuisier abandonne son établi, le maçon dépose sa truelle, et même les commerçants mettent la clef sous la porte. Tous justifient leur absence par un écriteau qu'ils jugent suffisamment éloquent: «Parti à la chasse», et personne n'y trouve à redire!

Les gens de la région n'ont pas attendu les congés payés pour prendre leurs vacances annuelles durant le mois d'octobre. Ils ont toujours considéré la chasse non seulement comme un moyen agréable d'améliorer l'ordinaire, mais aussi comme un loisir, et surtout comme un inépuisable sujet de conversation.

Sans compter que le gibier n'est pas toujours la seule victime des chasseurs. On connaît certaines veuves qui sont très affairées dans le temps de la chasse!

Tout cela pour vous dire que dans le pays, aucune renommée n'est plus prestigieuse que celle d'être bon chasseur.

Un promeneur qui traversait allégrement la place Saint-Michel, jetta un coup d'œil sur la grosse horloge qui coiffe le dôme du marché couvert tout en se disant:

«Puisqu'il est cinq heures, Maurice doit être rentré!»

Traversant la rue, il se préparait à frapper à la porte lorsqu'une voix lui parvint de la fenêtre entrebâillée: «Entre, c'est ouvert!».

Maurice, qui avait vu arriver Boutoule, vint à sa rencontre.

Boutoule, c'est un retraité de fraîche date qui vient d'emménager dans la grande maison des allées, où il espère bien vivre le reste de ses jours.

Enfant du pays, il connaît tout le monde et compte beaucoup d'amis. Son caractère enjoué et son sens inné de la diplomatie font de lui un arbitre naturel entre les différents groupes antagonistes du village qui acceptent volontiers ses décisions.

Son goût pour les titres et les honneurs l'a fait se retrouver président de plusieurs associations. Et qui sait? peut-être est-il sur le chemin de la mairie. Le notaire Labardin qui l'occupe est si vieux. Il faudra bientôt lui trouver un remplaçant.

C'est un peu pour cette raison que notre homme ménage les uns et les autres, jusqu'aux plus humbles, puisque grâce à la République, ils bénéficient, eux aussi, du droit de vote!

Les deux hommes ont à peu près le même âge et ils ont bien des points communs. Chaque fois que d'orageuses discussions politiques les éloignent, la chasse et la bonne chère se chargent de les rapprocher. Ils se rendent parfaitement compte du peu d'influence qu'ont leurs opinions sur les affaires nationales mais ils prennent plaisir à discuter et à se contredire, ce qui donne lieu à d'homériques et stériles confrontations.

Naturellement, ils n'agissent pas ainsi avec les sujets importants, car les affaires de l'État et celles de la commune ne doivent pas être menées de la même façon. D'ailleurs, ils se préviennent: «Maurice, j'ai à te parler sérieusement.» Plus que le mot «sérieusement», c'est le ton employé qui assure le premier d'être écouté attentivement par le second.

Maurice, un homme de taille moyenne mais de bonne corpulence, a la réputation d'être l'un des meilleurs chasseurs du pays. Il pourvoit en gibier l'*Hôtel du Commerce* et remplit aussi ce qu'il appelle ses «commandes spéciales». Pour les occasions particulières, mariage, communion, baptême, etc., il s'engage à fournir la perdrix, la caille ou le lièvre, selon la saison.

Le seul inconvénient, c'est que le gibier promis court encore dans les taillis et n'a pas du tout l'intention de se laisser prendre! Aussi, pendant que, indispensable préambule, il prend l'apéritif avec son client, Maurice fait mentalement son inventaire:

«Dans le petit bois d'Antagnac, j'ai en réserve un beau couple de bécasses. Derrière l'étang du père Maurois, j'ai aussi une nichée de perdreaux mais ils sont encore trop jeunes. Par contre, en bas du moulin, j'ai du lapin à profusion, quoique le renard m'en mange tous les jours.»

Au cours de la discussion, il amène habilement son client à choisir le gibier qu'il sait pouvoir se procurer.

Lorsqu'il se met en route pour ses commandes spéciales, il aime s'entourer de nombreuses précautions. Par exemple, il prend toujours la direction opposée à celle de son territoire de chasse, espérant ainsi dérouter les suiveurs éventuels. Il s'arrange même, selon le cas, pour crier devant sa porte: «Nini (c'est le nom de sa femme), je vais ce matin dans la pinède chercher du faisan pour l'anniversaire de l'instituteur.»

Il espère ainsi tromper les oreilles indiscrètes, quoique l'on n'ait jamais vu de faisan dans la pinède...

À la longue, cette politique de désinformation s'avère si efficace que personne ne sait d'où vient son gibier. Il s'assure ainsi de la bonne gestion de ses réserves tout en protégeant son monopole et l'exclusivité de sa clientèle.

D'ailleurs, il serait inconvenant de demander à un chasseur la provenance de son gibier. Ce serait l'obliger à mentir!

Il braconne rarement. En accord avec la nature, Maurice laissait le gibier se reproduire et ne tuait que pour ses besoins. Il fallait un événement exceptionnel ou l'abondance particulière d'une variété pour qu'il donne un coup de main à la nature en l'aidant à maintenir l'équilibre des espèces.

Dans ces cas-là, le garde-chasse fermait les yeux, car Maurice était pour lui un précieux auxiliaire. Il le prévenait en effet contre les déprédateurs, lui indiquait les changements survenus dans les coupes de bois et lui rapportait tous les renseignements susceptibles de l'intéresser. Il lui disait, par exemple:

«Si les gens de Cocumont continuent d'envoyer leurs chiens dans nos guérets, nous n'aurons plus un seul lièvre cet automne. Ils détruisent tous les gîtes!»

Grâce à sa vigilance, le garde arrivait toujours au bon moment pour prendre les délinquants sur le fait et verbaliser les coupables!

Pour en revenir à notre histoire, Boutoule, tout en serrant vigoureusement la main de notre chasseur, lui dit d'une voix grave:

«Maurice, j'ai à te parler sérieusement!»

Les deux hommes s'attablent, vu que dans le pays les affaires sérieuses ne se traitent pas autrement.

«Bonne chasse?, interroge poliment Boutoule.

— Deux lièvres dans les sables de Pindères et quelques grives au retour», répond Maurice, dont les bottes, encore souillées d'argile rouge, démentent les propos de notre ami concernant la direction mentionnée.

Puis il ajoute:

«Goûte-moi ce petit vin blanc que j'ai ramené de Barjac. Il est un peu doux mais il est très bon avec les châtaignes.»

Tout en parlant, il lui en verse un plein verre et le questionne:

«Quel bon vent t'amène?

— Jolie couleur, fait remarquer Boutoule, en élevant son verre à la hauteur de ses yeux, il est bien reposé.»

Puis, sans transition:

«C'est au sujet du banquet de samedi prochain. Je viens m'assurer de ta participation.»

Faisant alors claquer sa langue, il constate: «Ce vin a tout pour lui. Il est un peu léger, mais laisse-le vieillir; avec l'âge, il va prendre du degré! Il me rappelle le fameux vin que j'ai acheté il y a trois ans à Romarez.

— Tu sais bien, réplique Maurice, que je vais à tous les banquets, à moins d'être malade. Je n'en ai manqué qu'un seul depuis plus de vingt ans, parce que j'avais attrapé la grippe! Qui fête-t-on samedi?

— Eh bien, honneur aux vieux! lance Boutoule. Cette année, et pour la première fois, nous allons fêter les anciens travailleurs, les retraités quoi... On n'y avait jamais pensé! Ils y ont droit, d'autant plus qu'ils sont nombreux au pays. Les vieilles barbes du conseil municipal sont toutes d'accord. Maurice, ça ne va pas? s'inquiète soudain Boutoule. Tu as un drôle d'air. Est-ce que j'aurais dit quelque chose de mal?

— Mais non, rétorque celui-ci, seulement, je réfléchis.

— Ah bon! peut-être que tu es déjà pris pour samedi?

— Non, je suis libre, mais je crains de ne pouvoir accepter ton invitation. C'est une affaire personnelle.

— Tu m'inquiètes, Maurice. Si tu me disais franchement ce qui te préoccupe.

— Je vais te le dire; parmi vous, je me sentirais mal à l'aise...

— Mal à l'aise? Entre amis? Entre collègues? Tu connais tout le monde! Il y aura Laborde, le pharmacien, avec qui tu joues à la manille, Barin qui travaillait à la perception, Justin, l'ancien facteur, et tous les autres! En plus, on invite aussi tous les jeunes pour qu'ils puissent se rendre compte que la jeunesse, ce n'est pas éternel, et que devenir vieux, ce n'est pas une maladie!

— Tout ce que tu me dis, je le sais. Mais pour samedi, je ne vous verrai pas de la même façon! Et puis, j'aurai l'air d'un étranger!

— Un étranger? Maurice, tu me fais de la peine. Tout le monde te connaît, beaucoup t'admirent, et puis, tu as rendu tellement de services... Lorsque le fils Guérin a eu son accident, c'est toi qui l'as porté à l'hôpital. Et quand Ernest a perdu sa femme, c'est bien toi qui t'en es occupé, jusqu'à ce qu'on le mette à l'hospice. Même que l'ancien instituteur, monsieur Langlois, dit à qui veut l'entendre que si les élections municipales avaient lieu dans le temps de la chasse, tu serais élu maire tout de suite!

— Bien sûr, tu as quelques ennemis. Branchi, le gendarme, trouve que ses enfants te ressemblent un peu trop! Et puis, il y en a deux ou trois autres qui prétendent que tu n'attends pas le jour de l'ouverture pour tuer ton gibier... Mais ce sont des jaloux! Par contre, Sabatier, le patron du café, assure que tu payes toujours ta tournée et que tu n'attends pas, pour sortir ton portefeuille, comme le font tant d'autres, que les consommations soient déjà réglées. Crois-moi, Maurice, tu seras le bienvenu!

— Oui, mais que veux-tu que je dise à mes voisins de table, à des anciens travailleurs? Il vaudrait peut-être mieux que vous restiez entre vous!

— Maurice, tu me caches quelque chose. Si tu as de l'amitié pour moi, parle!

— Eh bien! j'ai des scrupules... Je vous connais en tant qu'amis. Je vous connais en tant que voisins. Mais en tant qu'anciens travailleurs, je ne vous connais pas! Vous allez parler de vos patrons, de vos souvenirs de travail, de grèves et d'augmentations. Pendant ce temps-là, que voulez-vous que je dise, moi?»

Boutoule essaya par tous les moyens de convaincre notre ami, mais en vain. Il quitta la maison déçu et fort perplexe. Il ne comprit jamais pourquoi son interlocuteur, après un débat de conscience qui avait duré plusieurs jours, avait finalement décidé de ne pas accepter l'invitation.

C'est que Maurice, après mûre réflexion, trouva qu'il ne serait pas à sa place au banquet des Anciens Travailleurs, lui qui n'avait jamais travaillé de sa vie!

JULES ADORIS

Située en dehors des grandes voies de communication, Figueroles n'est reliée aux autres agglomérations que par des routes départementales. L'autocar est donc, pour les gens du pays, le seul moyen de transport. Il achemine le courrier et les journaux, ainsi que toute autre marchandise que l'on veut bien lui confier.

Son conducteur, digne successeur du postillon, se charge, tout comme son prédécesseur, de diverses commissions dont il s'acquitte généralement bien, moyennant une modeste contribution. Cet homme important peut faire avancer ou retarder vos affaires selon son humeur. On doit gagner son estime, que l'on entretient ensuite par de petits cadeaux. On ne sait jamais à quel moment il peut vous être utile!

Prenons l'exemple du vieil Arquey, myope comme une taupe et encore plus avare, qui a attendu plus d'un mois la réparation de ses lunettes, le chauffeur ayant égaré l'étui. Il ne le retrouva évidemment qu'après avoir vu la couleur d'un billet de vingt francs! Cette affaire, qui avait fait rire bien du monde, était un avertissement que l'on ne pouvait ignorer.

Le chauffeur pouvait, au gré de sa fantaisie et de l'intérêt qu'il vous portait, vous laisser aussi bien devant votre maison qu'à un kilomètre de là. De toute façon, la route suivie n'était jamais la même et l'heure d'arrivée était toujours imprévisible!

Durant les haltes, il acceptait volontiers de se désaltérer, surtout si on l'y invitait. Malheur aux passagers si ce despote du volant rencontrait une connaissance. L'attente se prolongeait alors aussi longtemps que l'autre accepterait de payer les consommations, ce qui, dans certains cas, pouvait entraîner un retard d'une heure.

Il arrivait qu'un voyageur impatient vienne le rappeler à l'ordre. Habituellement, le chauffeur lui donnait le choix: ou se joindre à lui, et c'était une autre tournée, ou alors finir sa route à pied! Mais, l'autobus arrivait toujours à destination, même s'il fallait parfois aider son propriétaire à en descendre.

Cet homme redoutable n'exerçait cependant pas toujours son pouvoir de façon aussi despotique. Pendant les grosses chaleurs ou à l'époque des vendanges, il arrivait que des voyageurs prudents l'incitent, chemin faisant, à faire une petite sieste sur le bord de la route, conseil qu'il n'acceptait que si la majorité des passagers se rangeait démocratiquement à cet avis. Il faut dire que chaque virage difficilement négocié lui apporte de nouvelles voix!

Répartis de chaque côté du chemin, la vigne et le tabac achevaient séparément de mûrir. Une fois réuni, le fruit de ces récoltes consolerait l'homme de bien des peines.

À l'approche du canton, la route qui se traînait, fait un dernier détour pour se rafraîchir à l'ombre d'un petit bois. Puis ragaillardie, aborde allégrement la dernière côte. À l'entrée du village, les maisons se tassent pour faire place au chemin départemental. Celui-ci, conscient de son importance, se tient bien droit et attend d'avoir dépassé la gendarmerie pour reprendre son allure vagabonde.

Il n'y a pas si longtemps, les forêts recouvraient la région mais les scieries les dévorèrent à belles dents. Heureusement qu'elles laissèrent derrière elles une belle terre noire, très propice à la culture, ce qui fait moins regretter les arbres abattus. Les bûcherons déposèrent leur hache et prirent la charrue.

Pendant que de nouvelles coupes continuent à décimer d'autres pinèdes, des usines se sont installées pour exploiter cette abondante matière première. De nombreux cultivateurs sont devenus ouvriers, combinant les travaux des champs à ceux de la ville.

Situé en bas du bourg, l'arrêt d'autobus est juste devant l'*Hôtel du Commerce.* De là, la place Saint-Michel étire son long rectangle en grimpant jusqu'au château d'eau, accompagnée dans son ascension par deux allées qui portent son nom.

Sur la place, en face de l'hôtel, un grand soldat de bronze défend l'accès d'un monument élevé à la mémoire de ceux qui sont morts pour la patrie. Vissée à ses pieds, une épaisse plaque de marbre atteste du lourd tribut qu'a dû payer le canton pour rester français. Gravés dans la pierre, les noms de ceux qui ne sont pas revenus s'effacent lentement, moins vite assurément que dans la mémoire des hommes.

Ironie du sort, les intempéries ont revêtu le «poilu» de l'uniforme ennemi! À l'origine d'une chaude couleur cuivrée, oxydé par le temps, il est devenu vert-de-gris. Ne serait-ce pas là un signe de la futilité de toutes les querelles?

Un peu plus haut se tient, deux fois par semaine, le marché en plein air. Il est très animé avec ses grands parasols aux couleurs vives et ses marchandises bigarrées. Il s'y vend surtout des vêtements, du linge et des colifichets, qui pendent à la vue de tous, accrochés à de nombreux supports, fixés eux-mêmes à de longues tringles.

Les marchands viennent des alentours et connaissent bien leurs clientes. Celles-ci ont souvent fait une longue route à bicyclettes pour se rendre au marché avec, en travers du guidon et sur le porte-bagages, de menus produits de la ferme. Elles espèrent vendre rapidement leur lot pour devenir, dès que possible, acheteuses à leur tour.

Autant elles sont d'habiles vendeuses sachant présenter leurs denrées et en tirer profit, autant elles sont des proies faciles pour les rusés marchands. Montrant trop vite leurs préférences, elles se laissent facilement prendre par apparences trompeuses des étoffes savamment étalées et succombent bien souvent aux prix gonflés. Après un rapide marchandage, le vendeur consent un léger rabais, sans lequel il n'y aurait pas d'affaires, et la cliente, ravie de son acquisition, court aussitôt la montrer aux autres commères.

Au milieu de la place, en face de l'église et près de la mairie, trône le marché couvert, récemment construit. Mais son armature de béton détone en ces lieux. Ardemment désiré et longtemps promis par plusieurs maires, il a été le cheval de bataille de nombreuses élections, et chaque administration en a construit une partie.

L'architecture se ressent fortement de ces divergences. Un spécialiste en la matière n'aurait aucune difficulté, en étudiant la structure, à indiquer qui était à la mairie à telle époque. Même la toiture, qui s'incline vers l'église, révèle les convictions religieuses de ses derniers bâtisseurs. De l'avis de tous, la laideur de l'édifice est si manifeste qu'elle en fait la renommée.

S'étant habitués à vivre avec, les Figuerolais finirent par lui trouver un certain charme. Comme sa facture échappe à tous les styles architecturaux connus, ils décidèrent que c'était un marché surréaliste et d'avant-garde, même si l'on ne pouvait pas encore comprendre les mystères de sa beauté. Conquis, les intellectuels confirmèrent ce jugement. Il ne resta plus à la population qu'à accepter ce verdict et à admirer sans comprendre.

Questionnés en dernier, les paysans qui l'utilisaient trouvaient le marché couvert très commode, quoiqu'ils fussent un peu étonnés que l'on fasse tant de bruit autour d'un bâtiment qui avait tout bonnement l'apparence d'une grande volière!

Le clocher dépassait largement le dôme du marché, même si celui-ci supportait une énorme horloge, don de la dernière administration municipale. Celle-ci avait voulu, par ce moyen, élever l'heure républicaine à la même hauteur que celle du clergé.

Malheureusement les deux cadrans, à l'image de la population, n'indiquaient pas la même heure... Ayant l'éternité devant elle, celle de l'église, ne se pressait pas et marquait l'heure solaire, toujours utilisée dans les campagnes, tandis que l'horloge du marché avait adopté l'heure officielle qui, signe de progrès, était en avance d'une heure sur l'autre.

Cet état de choses, intolérable au début, fut à l'origine de bien des malentendus, mais aussi le prétexte de nombreuses excuses. Si vous arriviez en retard à un rendez-vous, vous pouviez toujours prétendre que votre interlocuteur n'avait pas précisé à quelle sorte d'heure il vous attendait!

La situation s'aggrava à un point tel que l'on dut saisir le conseil municipal de la question.

Le maire, le notaire Labardin, habitué aux marchandages électoraux et aux transactions de toutes sortes, proposa pour satisfaire tout le monde, d'avancer d'une demi-heure la pendule du clocher et de retarder d'autant celle du marché.

Pressenti, le curé Darcos opposa un refus catégorique, objectant que l'heure du clocher était d'essence divine, car elle était établie selon les astres, eux-mêmes créés par Dieu. De toute façon le mot de la fin reviendrait à l'église, puisque ce sera le clocher qui sonnera notre dernière heure ainsi que notre enterrement!

Devant des arguments aussi spécieux, l'orateur de l'opposition se lança dans une longue diatribe. Remontant dans l'histoire, il dénonça les longs retards que l'Église avait fait subir à notre civilisation, ajoutant qu'il n'était pas question que l'on ralentisse encore, ne serait-ce que d'une heure, la marche de notre évolution! La passion l'emporta, et chacun resta sur ses positions.

On fit alors appel au Savoir et on chargea l'instituteur d'éclaircir la situation. Hélas! après un brillant exposé, celui-ci ne réussit qu'à l'embrouiller davantage... l'excellent homme ayant expliqué à l'aide d'un tableau noir que comme la Terre tournait autour du Soleil, aucun pays n'était à la même heure!

Pour le père Mathieu, ce fut une véritable révélation, car il comprenait enfin pourquoi la discorde régnait dans le monde, les guerres n'étant qu'un prétexte pour mettre à notre heure les pendules des pays voisins. Ce ne fut pas la réflexion la plus sotte de la journée.

À la satisfaction générale, aucune décision n'étant prise, chacun garda son heure, et depuis ce temps, les Figuerolais prouvent aux nations qu'il est possible de coexister, même avec des gens qui n'utilisent pas la même heure!

● ● ●

À l'ombre géométrique et rafraîchissante des platanes soigneusement taillés, de vieux bancs de pierre invitent au repos. L'empreinte arrondie des sièges patinés atteste la fréquence de leur usage et témoigne de leurs longs services. Cloué à un arbre, un grand panneau vert protège d'un grillage les avis municipaux.

C'est sur ce terrain neutre, entre l'église et la mairie, que s'amorcent les décisions importantes. Le soir, à la fraîcheur, l'instituteur peut, mine de rien, tout en promenant son chien, rencontrer par hasard le curé, le maire ou quelque autre personnage influent et, à la vue de tous, affermir ses alliances, comploter quelque nouveau règlement, ou encore conspirer contre le conseil municipal.

Dans la journée, assis, le menton appuyé sur leur canne, les vieux regardent passer, tout en faisant des commentaires, les Figuerolais et les rares étrangers. N'imaginez pas que par ce mot, ils désignent des personnes venues de lointaines contrées. Ici, tous les gens dont on ne peut catégoriquement retracer les origines sont des étrangers, même s'ils ne sont nés qu'à quelques kilomètres de là...

Mettant en commun leur esprit d'observation et leur mémoire, ils savent qui vous êtes, d'où vous venez et où vous allez. Et ils ne se trompent que rarement.

«Tiens, regarde si c'est pas malheureux... Encore le fils Lapeyre qui vient demander de l'argent à sa mère pour aller le boire au bistrot!»

Ce passe-temps fait d'eux un service d'information redoutable. Ceux qui rendent de galantes visites nocturnes bénissent le ciel qu'il ne fonctionne que de jour!

Quelques marronniers plus loin, un saint Michel ailé terrasse pour l'éternité un dragon qui se tortille sous une fourche vengeresse.

Défendus au nord par le soldat de bronze et protégés au sud du démon par l'archange, les Figuerolais peuvent vaquer en toute quiétude à leurs occupations.

Enfin, dans le haut de la place, sous le château d'eau, se tient le marché aux bestiaux, que les gens du pays appellent le «foirail». Si on rencontre surtout des femmes aux halles, c'est au foirail que se tiennent les hommes. Le nombre de débits de boissons qui l'entoure en fait foi.

Les gens du canton ne s'y aventurent guère, laissant le terrain libre aux fermiers et aux acheteurs venus des villes, qui s'y livrent des combats singuliers où chacun déploie ses plus habiles manœuvres.

Après de chaudes empoignades qui laissent les combattants assoiffés, le bistrot vient cimenter les nouvelles ententes. Les bars sont d'ailleurs si rapprochés que leurs terrasses se touchent.

Plus bas, sur les allées qui bordent la place, les grandes maisons de pierre alternent avec les commerces, dont un sur deux est un café. La raison sociale, inscrite en grosses lettres sur chaque auvent, sert de bannière à chaque clan. Les Figuerolais s'y retrouvent entre eux, selon leurs opinions et leurs habitudes.

À la longue, les habitués finissent par s'identifier à leur lieu de rencontre. Mais n'allez pas croire que l'intolérance règne en ces lieux, même s'il existe un certain antagonisme, soigneusement entretenu par les cabaretiers, qui trouvent que c'est un bon moyen de s'assurer de la fidélité de leurs clients.

Il est d'ailleurs notoire que les gens du *Café des Sports* ne mettent plus les pieds au *Restaurant des Allées* depuis le dernier concours de belote organisé par son propriétaire.

Le patron du café avait laissé entendre à son équipe vaincue, que le tirage au sort qui l'avait désavantagée avait été truqué par son concurrent. Le cafetier fit ainsi coup double: non seulement il pansa l'amour-propre de ses champions défaits, mais surtout, il reprit en main une clientèle qui commençait à lui échapper. Qu'il s'agît de sport, de politique ou de religion, le même stratagème réussissait immanquablement!

Avec le temps, les Figuerolais, gens pacifiques, ont tendance à oublier leurs querelles. Mais les rivalités, sur le point de s'éteindre, trouvent toujours quelqu'un pour les raviver.

Or, comme le disait le brigadier Peyressoule à ses gendarmes: «Si vous voulez trouver les coupables, il faut d'abord savoir à qui profite le crime.» Et, de la façon dont les Figuerolais arrosaient les discussions dans le feu des débats, il est clair que les bistroquets étaient les premiers bénéficiaires. Disons pour leur défense qu'ils partageaient cette responsabilité avec leurs fournisseurs. Qu'on en juge par l'histoire de Jules Adoris.

Le jour du Quatorze Juillet, les Figuerolais joignent le sens patriotique à l'esprit sportif. Le village réconcilié se pare de banderoles multicolores que les commanditaires ont pris soin d'orner de leur marque de commerce.

En haut de la place, l'une d'elles attire l'attention par ses énormes caractères noirs, dont les lettres espacées forment le mot «DÉPART». Chevauchant les Allées Saint-Michel, elle indique qu'une course se prépare. Pour le confirmer, le mot «ARRIVÉE» s'inscrit sur une autre bannière, placée de l'autre côté de foirail.

Au-dessous, un bal champêtre encore silencieux attend sous les marronniers que la première fraîcheur lui amène son lot de danseurs. L'orchestre déchaîné jouera ensuite jusqu'au matin. Pour le moment, il prête son estrade aux juges d'arrivée.

Pour la fête nationale, le village pavoise. Il sort ses drapeaux, suspend ses lampions et fleurit ses monuments.

Les différentes cérémonies commémoratives viennent de prendre fin et la fanfare municipale entame une marche militaire. La foule se réjouit doublement de l'ardeur du soleil; non seulement elle apprécie la chaude journée mais elle ne peut s'empêcher d'éprouver un sentiment de gratitude envers l'astre du jour qui, par son ardeur excessive, a écourté d'au moins une heure le discours du maire. Ce n'est pas une mince performance quand on sait que personne n'a encore réussi à seulement lui couper la parole.

Reconnu pour sa ténacité, Maître Labardin, n'a pas abandonné sans lutter, et c'est seulement devant le monument aux morts que, devenu aussi rouge qu'une tomate et guetté par l'insolation, il a accepté la serviette mouillée que lui lançait charitablement le garde champêtre. Ce fonctionnaire intègre, que l'on ne pouvait soupçonner d'ingérence dans les affaires municipales, soulagea l'assistance en même temps qu'il épargna au maire un coup de soleil fatal. Reconnaissante, la foule remonta lentement les allées et se dirigea vers le marché aux bestiaux.

L'heure du départ de la course approche. Les partants n'ont pas du tout la tenue à laquelle on se serait attendu. À l'exception d'un ou deux participants revêtus de maillots, les autres portent leurs vêtements de tous les jours.

L'âge des concurrents déconcerte davantage, les plus jeunes doivent avoir dépassé la quarantaine. Cet étonnement est tout à fait normal pour qui ne sait pas qu'il va bientôt assister à une épreuve d'endurance... Mais c'est l'attitude des participants qui intrigue le plus. Ils sont debout, nonchalants, la barbe épaisse et le pas chancelant; l'un d'eux vient même d'allumer une cigarette!

Parmi la vingtaine d'hommes alignés, Jules Adoris se tient en retrait, le dos tourné à la ligne de départ, un verre de vin rouge à la main.

La cinquantaine lui a dégarni le front et ravagé le visage. Son nez, victime de trop fréquentes libations, a pris la couleur de sa boisson préférée. Ses yeux pochés et son regard font davantage penser à un clochard qu'à un champion. Ne vous y fiez pas: c'est le tenant du titre, l'homme à battre.

L'aubergiste Casavan, qui s'occupe aussi de l'équipe de rugby locale, fait ses dernières recommandations et demande aux participants, comme il le fait d'habitude, de donner le meilleur d'eux-mêmes tout en gardant l'esprit sportif.

Nous profitons du temps que nous laisse son laïus pour vous donner les règlements de cette étrange course. À première vue, il ne s'agit pas de faire le tour de la place. À part la côte de l'église et le raidillon près de l'arrivée, le tracé ne présente guère de difficultés.

Les obstacles existent cependant! Leurs aspects inoffensifs et même attrayants n'empêchent pas qu'ils soient redoutables. Ils se présentent sous la forme accueillante des nombreux bistrots qui jalonnent le parcours. En effet, les concurrents doivent s'arrêter à chacun d'eux, sans en manquer un seul (ce qui les disqualifierait), vider entièrement leur verre et repartir vers le suivant.

Vous l'avez maintenant compris, vous assistez à la course annuelle qui est parrainée par une marque d'apéritif des plus connues. Pour faciliter l'accès aux coureurs, devant chaque établissement une table est avancée bien en vue, le plus près possible du trottoir. Sur chacune d'elle, on a placé autant de verres qu'il y avait de concurrents.

Vous comprendrez que les candidats étaient nombreux pour une telle course. Il a fallu opérer une très rigoureuse sélection. Les hommes qui sont au départ ont prouvé leur valeur et plusieurs d'entre eux sont des champions venus d'autres villages.

Tous n'ont qu'un but: battre le tenant du titre. L'enjeu, quoique non négligeable, est peu de chose comparé aux avantages qu'en tirera le gagnant.

Pensez un instant au prestige qui auréolera le vainqueur d'un tel exploit. En plus d'éprouver une légitime satisfaction, il sera assuré d'être reçu royalement dans tous les débits de boissons du pays et d'y boire gratuitement pour longtemps.

Depuis plusieurs années, Jules Adoris se moque de tous ses rivaux en l'emportant à chaque occasion. Boulanger de son état, il vient d'une petite localité située de l'autre côté de la Garonne. Excellent ouvrier, il trouve toujours du travail malgré son penchant très marqué pour la bouteille.

Mangeant peu et vivant de rien, il se contente de petits salaires à condition que le vin soit inclus dans ses gages. Inoffensif et assez adroit, son travail de nuit lui permet de rendre quelques services dans la journée. Ces services, comme vous pouvez l'imaginer, sont payés en nature. Si on lui demande d'estimer le coût d'une réparation, il se peut qu'il vous réponde, après en avoir fait l'évaluation:

«Je peux vous faire cet ouvrage pour deux bouteilles de vin, mais si vous voulez que ça tienne vraiment, ça m'en prendra quatre.»

À ce stade, vos chances sont bonnes d'enlever l'affaire avec trois bouteilles...

Toujours entre deux vins, il n'est ni jamais à jeun, ni vraiment soûl. À quelqu'un qui lui demandait s'il buvait depuis longtemps, il avait répondu:

«Lorsque je me suis soûlé pour la première fois, j'étais bien jeune et depuis, je n'ai jamais dessoûlé.»

Maintenant que vous connaissez les secrets de son entraînement, vous comprendrez mieux la raison de ses nombreuses victoires... Mais revenons à la course.

La foule, devenue silencieuse, laisse passer l'adjoint au maire qui s'avance vers les partants. Confondant les événements sportifs avec les inaugurations agricoles, celui-ci donne le départ, en coupant un ruban tricolore à l'aide d'énormes ciseaux.

Deux concurrents partent au galop, quelques-uns au trot et les derniers en marchant. Un spectateur charitable tape sur l'épaule de Jules Adoris pour le faire pivoter et lui indiquer que de l'autre côté, la course est commencée! Celui-ci remercie, vide son verre, s'essuie les lèvres du revers de sa manche puis, remontant son pantalon, il entreprend l'épreuve.

Nos spécialistes franchissent aisément les premiers obstacles. En face du marché couvert, quelques premiers flottements se produisent, et on enregistre plusieurs chutes sans gravité.

À mi-chemin de la course, devant l'*Hôtel du Commerce*, on ne signale qu'un abandon et deux disqualifications, ce qui illustre assez bien la compétence des sélectionneurs!

Quelques bistrots en arrière, Jules Adoris parle avec désinvolture, tout en signant un autographe à un admirateur étranger. Tous savent que la course ne fait vraiment que commencer.

Sous l'encouragement des spectateurs, les concurrents naviguent d'un bord à l'autre de l'avenue. Il arrive qu'il faille, de temps à autre, replacer un coureur dans la bonne direction!

Le soleil, impitoyable, foudroie ceux qui sont habitués à boire à l'ombre, éliminant ainsi plusieurs espoirs. Petit à petit, enjambant les athlètes vaincus couchés en travers de la route, Jules Adoris remonte le peloton.

À la mairie, il ne reste plus que cinq concurrents, et notre boulanger n'est plus qu'à deux tables du meneur. Mais celui-ci a son compte: son verre à peine bu, il s'agrippe à la table et tombe en tirant avec lui la nappe qui le recouvre tel un linceul. Un autre, qui avait pris beaucoup d'avance au début du parcours, perd irrémédiablement du terrain. Comme il piétine, faisant un pas en avant et deux en arrière, il ne tarde pas à se faire dépasser par ses poursuivants.

La dernière montée, sous le soleil implacable, est un véritable cauchemar, et le champion de Rodez, habitué au pays plat, abandonne. Entre les deux rescapés, la lutte est serrée.

Adossé à la fontaine, Jules Adoris récupère, tandis qu'un peu plus loin, Astruc tangue autour d'un réverbère qu'il tient à deux mains.

Il est dit dans le règlement que le gagnant n'est pas celui qui se rend le plus loin, mais bien celui qui franchit la ligne d'arrivée le premier. Les deux hommes vont-ils être éliminés si près du but?

Retenant son souffle, la foule attend longtemps qu'un des deux adversaires redémarre. Soudain, Astruc lâche son poteau et zigzague jusqu'au café, mais il s'écroule avant d'avoir pu boire. Il ne se relèvera pas!

Jules Adoris s'est assoupi à l'ombre fraîche du bassin. Le soleil, à son déclin, le frappe violemment au visage. Notre héros cligne des yeux et reprend ses esprits. Il voit son adversaire à terre, et cette vision lui donne la force de se redresser, de traverser péniblement l'allée et de boire son dernier verre.

Les Figuerolais sont en délire: encore une fois, leur champion est en avant. Il ne lui reste plus que quelques mètres à parcourir pour franchir la dernière étape. Porté par les encouragements de ses partisans, Jules Adoris fournit un suprême effort.

Il titube, tombe, se relève, trébuche encore et, perdant l'équilibre, passe à reculons le fil d'arrivée. Terminant seul l'épreuve, le vainqueur, triomphant sous les acclamations de la foule déchaînée, s'écroule à son tour, ivre mort.

Ainsi finit l'histoire de Jules Adoris et de sa dernière course. Il ne participe plus aux compétitions, victime d'une cirrhose qu'il soigne toujours entre le bistrot et l'hôpital.

Il vient d'ailleurs d'enterrer son médecin, celui-là même qui lui avait prédit une mort prochaine, il y a déjà quelques années.

L'HISTOIRE D'UNE HISTOIRE

À Maryse et à Françoise

J'étais assis dans la salle de lecture de la bibliothèque.

Je regardais par la fenêtre le soleil qui faisait danser la poussière d'août avant d'entrer sur la pointe des pieds et doucement se joindre à nous.

J'hésitais, ne sachant quel livre choisir, lorsque je crus entendre «psitt»... Je me retournai vivement, mais il n'y avait personne.

Comme le bruit se reproduisit, j'étais sûr cette fois qu'il venait d'un rayon situé juste derrière moi.

Il y avait là d'énormes livres aux épaisses reliures qui prenaient toute la place, excepté un petit recueil à la belle couverture rouge, qui semblait écrasé par ses imposants voisins.

Je ne le jurerais pas, mais je suis presque certain que c'est lui qui attira mon attention.

Je tendis la main pour le saisir, je l'ouvris et voici ce que je lus:

«J'étais une petite histoire toute simple, sans aucune prétention.

«J'allais de bouche à oreille, voyageant de l'un à l'autre, plus ou moins bien narrée, enrichie par ici, raccourcie par là.

«Il m'arrivait d'être dite par d'habiles conteurs qui m'arrangeaient et m'habillaient, me rendant très présentable.

«D'autres fois, au contraire, j'étais tellement défigurée que j'en devenais méconnaissable!

«Il est certain que tous n'avaient pas le même talent: on me transformait, selon qui me disait. J'étais tour à tour triste, gaie, drôle ou ennuyeuse, mais jamais la même: bref, je vivais.

«Un jour, me trouvant belle, un romancier décida de m'écrire.

«J'en fus d'abord très flattée; devenir célèbre!

«À l'aide de signes, il composa un grand nombre de mots qu'il coucha les uns à la suite des autres, en faisant courir sa plume sur du papier blanc.

«Pour s'assurer de ma docilité, l'imprimeur transposa les lettres manuscrites, les figeant dans un rigide corset de plomb. Après m'avoir bien alignée et mise en rang, il me numérota.

«Pour être certain de m'ôter toute velléité d'indépendance et anéantir ma volonté, il normalisa mes caractères et m'écrasa sous sa presse...

«Je ne me reconnaissais plus!

«J'avais l'impression d'avoir endossé un uniforme...

«Lorsque je me vis ainsi, enrégimentée et emmurée dans des pages glacées, je fus très inquiète de mon sort.

«On eut beau me dorloter, me couvrir, m'ajouter un titre et me dorer sur tranche, rien n'y fit.

«D'autant plus que l'on me conduisit dans une grande maison pleine d'étagères, où d'autres livres s'étiolaient et vieillissaient dans le silence.

«Ah! que je regrettais le temps passé, lorsque je gambadais d'une auberge à l'autre, amusant le voyageur, faisant sourire l'ouvrier et distrayant les familles!

«En ai-je fait des voyages, traversé des mers, escaladé des montagnes et franchi des frontières, allant d'une langue à l'autre, comprise et aimée de tous!

«Que de belles soirées j'ai passées près de l'âtre, racontée par des voix chaudes qui m'embellissaient et qui, joignant le geste à la parole, esquissaient ma silhouette et dessinaient les formes de mon corps.

«Et le soir, auprès des petits lits, en ai-je fait fermer des yeux d'enfants!

«En ce temps-là, j'allais librement à travers le monde. J'étais heureuse et je ne le savais pas.

«Et maintenant, enfermée dans cette vaste demeure, je me sens prisonnière; la poussière lentement me recouvre, et l'on m'oublie!

«Je souhaite à toutes mes amies, histoires et historiettes, de ne jamais devenir assez célèbres pour être imprimées et de rester modestes, mais vivantes, et d'habiter seulement dans la mémoire des hommes!»

UNE HISTOIRE D'AMOUR

Protégée des vents du large par la ligne presque continue des écueils qui l'obstruent, l'anse aux Outardes étale ses eaux claires jusqu'aux plages qui la bordent.

Les vagues jouent éternellement au chat et à la souris avec de gros cailloux qu'elles roulent jusqu'à la grève feignant de les y abandonner. À peine sont-ils hors de l'eau qu'inlassablement les lames s'en saisissent et, de leurs doigts crochus, les ramènent au large. La patience de la mer est si grande qu'à ce jeu sans fin les galets finissent par s'user. Ils deviennent poussière et leurs innombrables grains lumineux s'entassent sur l'étroite rive qu'ils finissent par ensabler. La marée haute, en les recouvrant, essaie encore de les tourmenter mais ses griffes labourent vainement le tapis blond.

Les hauts rochers qui dominent la crique protègent toute une faune contre la convoitise des hommes et lui permettent de s'y ébattre en toute quiétude. Les locataires y sont logés à différents étages.

La gent ailée s'est appropriée les étages supérieurs, et les quelques corniches qui les couronnent abritent une myriade de nids. La vue est admirable et le confort assuré. La roche poreuse forme une foule de bassins que le ciel remplit après chaque pluie. L'air charrie assez d'insectes pour nourrir leurs nombreuses familles, et l'eau, assez de poissons pour varier les menus. Ce sont aussi les occupants les plus bruyants; leurs cris perçants emplissent le ciel de l'aube jusqu'au coucher du soleil.

En bas, c'est le domaine des crabes et autres mangeurs de coquillages. Ils logent au rez-de-chaussée, dans les multiples trous que la mer a creusés pour eux, à la base des rochers.

Leur vie est pleine de dangers, mais qui peut se vanter ici-bas de vivre sans risques? Pas les poissons en tout cas, car les habitants du monde sous-marin se livrent de terribles et silencieux combats.

La mer, toujours agitée, accuse les vents de troubler ses eaux et de semer le désordre dans son agencement. En vérité, ainsi labourée, elle cache au creux de ses sillons des drames épouvantables.

Cependant il y a partout des exceptions et le récit que je vous raconte en est une. Pour aussi étonnant que cela vous paraisse, les animaux sont aussi capables que nous d'éprouver des sentiments!

En voilà une preuve, et des plus convaincantes, puisque je la tiens d'un témoin qui fut lui-même impliqué dans cette affaire.

C'est l'histoire d'une belle petite crevette rose aux yeux bleus qui tomba éperdument amoureuse d'un jeune crabe. Vous vous doutez bien que pour la connaître, il m'a fallu bénéficier d'un concours exceptionnel de circonstances.

Voici les faits tels qu'ils se présentèrent.

J'avais décidé de passer mes vacances en Gaspésie, à l'extrême pointe de la péninsule, à l'endroit où le fleuve est si large qu'il devient un golfe et où ses eaux, mêlées à celles de l'océan, courent après le ciel et ne le rattrapent qu'à l'horizon.

Je longeais les récifs en évitant que l'un d'eux n'éventre le léger canot à moteur qui me transportait. Placés en sentinelles, ils semblaient m'interdire l'accès à la côte.

Face à ce rivage hostile, je me pris à rêver que, comme le navigateur, j'allais découvrir des terres nouvelles que je foulerais le premier. Hélas, l'arête tranchante d'un écueil mit fin à mes rêves de conquête, en même temps qu'elle endommagea légèrement une pale de l'hélice.

Je dus chercher aussitôt un endroit propice pour réparer l'avarie. C'est alors que j'aperçus l'anse aux Outardes.

Je manœuvrai à la rame, pour mieux contourner les brisants qui la cachaient et je pus me glisser silencieusement dans ses eaux calmes. Sous mes yeux émerveillés, je découvris un gracieux chapelet que perlait chaque plage.

Comme elles étaient aussi invitantes les unes que les autres, je choisis d'aborder la plus proche. Son mince ruban en arc de cercle s'élargissait à mesure que la mer se retirait. L'aveuglant diadème scintillait de mille feux dès que la chaude caresse du soleil asséchait son rivage.

J'accostai en ce lieu désert où seuls couraient quelques crabes. Je me mis rapidement à la tâche et je réussis tant bien que mal à redresser la pale tordue. Quelques essais de moteur confirmèrent le succès de mon entreprise, car aucune vibration ne venait plus ralentir la marche de mon embarcation.

Le bruit de l'engin, amplifié et multiplié par l'écho, mit en révolution la colonie qui gîtait dans la petite baie. Les oiseaux affolés volaient en tous sens, tandis que tout ce qui pouvait se mouvoir courait se mettre à l'abri. L'alerte passée, il fallut longtemps avant que chacun ose de nouveau vaquer à ses occupations.

Le silence revenu, je m'accordai une pause. Allongé sur le sable chaud, je m'amusai à regarder aller et venir tout ce petit monde. Avec le varech qui ceinturait la plage, je me fis un confortable et odorant oreiller et, les yeux fixés vers le ciel, je suivis le vol gracieux des mouettes.

Au-dessus de ma tête, de gros rochers aux cimes tourmentées déchiquetaient un coin de ciel sans nuage. Faisant place nette, la brise du large balayait les sommets et la fine poussière blanche qui virevoltait au vent ne méritait plus le nom d'embruns.

Le soleil encore haut venait juste d'enflammer l'arrière-montagne, après s'être longuement baigné dans l'eau calme.

Quel spectacle reposant et quelle tranquillité! J'en soupirais d'aise. J'emplissais mes poumons de cet air vivifiant et je m'enivrais des odeurs marines.

Chaviré par les parfums et les bruits de la mer, je ne tardai pas à sombrer dans un profond sommeil, emportant avec moi la vision édénique d'un paradis retrouvé.

Voilà pourquoi je ne fus pas étonné de me faire questionner par une crevette. Dans le pays où j'allais, même les crustacés avaient la parole!

Il me demanda ingénument: «Aimerais-tu entendre une histoire d'amour?»

Quelle question! Tout le monde aime se faire raconter des histoires d'amour.

«Mais qui es-tu? demandai-je intrigué.

— Mon nom ne te dira rien, répondit-il, mais apprends qu'il existe parmi nous autant de troubadours qu'il y en a sur la terre, et que vous n'avez pas l'exclusivité du genre; le monde sous-marin en est rempli.

— Au fond de la mer, dis-tu? Mais je sais à peine nager, et puis je ne pourrais pas t'écouter bien longtemps!

— Ne t'inquiète pas à ce sujet. Ton corps dort encore sur la plage, et c'est seulement à ton esprit que je m'adresse.

Au cours de ta vie, il voyage souvent pendant ton sommeil, mais il regagne généralement sa place avant que tu te réveilles. Les hommes donnent le nom de rêve à cette escapade le plus souvent nocturne. Beaucoup d'entre eux ne s'en souviennent guère et quelques-uns seulement la mettent à profit. Je ne parle pas uniquement de ceux qui l'analysent et qui en tirent des conclusions étonnantes. Ils ont la curieuse manie de chercher à comprendre les mobiles de ces fugues ainsi que leur signification profonde. Je parle surtout des artistes et des poètes, de ces incorrigibles récidivistes qui s'évadent de nuit comme de jour, et souvent les yeux grands ouverts. Nous autres, crevettes, rêvons de la sorte.»

Mon interlocuteur fit une pause. Était-ce pour raviver ses souvenirs ou bien ménageait-il ses effets? Je ne saurais le dire, car l'habile conteur avait si adroitement mené son récit que j'étais littéralement suspendu à ses lèvres lorsqu'il me confia:

«À moins d'une lieue d'ici, une des miennes cousines connut un destin exceptionnel. Il est vrai que tout en elle l'y prédestinait.

«Célèbre par sa beauté et servie par une grâce incomparable, elle charmait tous ceux qui l'approchaient. À ses traits délicats aux lignes si pures s'ajoutait son inoubliable regard. Il suffisait qu'elle vous en pénètre pour qu'elle se rende aussitôt maîtresse de votre cœur. Malgré le temps écoulé, un doux émoi s'empare encore de ma personne à la simple évocation de son image.

«Qui aurait pu rester indifférent devant sa taille fine, ses cheveux dorés et ses yeux de velours? Sa robe la gainait aussi étroitement que le font les pétales avant que la reine des fleurs n'éclose. D'ailleurs, n'avait-elle pas emprunté à la rose sa plus belle couleur? Et l'éclat de son teint ne lui était-il pas comparable?

«Je déplore que tu ne l'aies pas vue se déplacer. Elle ondoyait avec tant d'élégance qu'il était facile de reconnaître, rien qu'à son sillage, la trace de son passage!

«Et je ne t'ai pas encore parlé de son heureux caractère. Elle était aussi douce qu'enjouée, et sa grande modestie l'aurait fait passer inaperçue, sans le bruyant concert d'éloges qui l'accompagnait dans ses déplacements.

«De bonne éducation, l'esprit prompt et nullement médisante, elle était recherchée dans tous les salons de bonne compagnie.

«Un si heureux mélange de beauté et de vertu ne pouvait faire autrement que de lui valoir de nombreux soupirants. On la courtisait assidûment et on se battait pour elle. Au grand désespoir de ses parents, elle avait déjà refusé des partis mirobolants.

«Fille unique et bien nantie, elle avait su déceler les coureurs de dot et autres aventuriers. Mais sa suspicion avait en même temps éloigné de plus honnêtes prétendants. Plusieurs d'entre eux auraient fait d'excellents maris et personne ne comprenait son attitude par trop réservée, pas même ses parents.

«Ceux-ci s'adressèrent aux médecins, en supposant qu'ils trouveraient dans la maladie la cause de son indifférence vis-à-vis de l'autre sexe. Mais devant sa bonne mine, ces derniers furent unanimes à dire qu'il fallait chercher ailleurs la raison de son célibat.

«Un de ses oncles, religieux de son état, se risqua même à sonder cette âme vertueuse pour savoir si le ciel ne se l'était pas déjà appropriée. Il n'y aurait rien eu d'étonnant à ce qu'une personne aussi admirable ait tenté le Créateur et qu'il ait voulu dès lors la mettre à son service.

«Hélas! il n'en était rien.

«Tout en louant sa pieuse nature, notre révérend dut admettre qu'aucune vocation particulière ne semblait pousser cette enfant dans les bras du Seigneur. N'ayant pu lui arracher aucune confidence susceptible d'éclairer la famille sur son comportement, il renonça à son tour à en connaître les motifs.

«Pourtant, notre crevette avait un secret. Son cœur était pris, et nul ne s'en doutait. Pourquoi tant de discrétion et de mystère? Tout simplement parce que son amour était inavouable!

«Imaginez la tête qu'auraient faite parents et amis s'ils avaient connu l'objet de sa passion! La malheureuse était devenue follement amoureuse... d'un petit crabe!

«Je n'ai jamais su comment s'était nouée leur idylle, mais je peux en deviner le déroulement.

«Quoique habituée aux hommages masculins, notre héroïne dut être flattée d'avoir retenu l'attention d'un jeune mâle d'une espèce différente. «N'y avait-il pas là de quoi éprouver, au-delà de la coquetterie, une légitime fierté? Et n'est-il pas normal d'accorder quelque sympathie à ceux qui nous admirent et nous grandissent?

«Les flatteurs le savent bien, eux qui tirent de notre vanité l'essentiel de leur subsistance! Ainsi favorablement disposée, ma cousine ne pouvait pas refuser catégoriquement des avances aussi pressantes que flatteuses.

«Notre don Juan, suffisamment expert dans l'art de séduire, dut mettre à profit le trouble qu'il avait causé et augmenter, par des déclarations enflammées, l'émoi de la belle. Sans doute écouta-t-elle trop longtemps le jeune séducteur, car elle ne put se soustraire à temps au charme de cette voix caressante qui lui susurrait de si belles paroles.

«J'ai déjà vu des crabes à l'œuvre et je dois reconnaître qu'ils n'ont pas leur pareil pour vous enjôler. Il faut les voir, à marée basse, parader devant l'objet de leur convoitise, ils brandissent leur plus grosse pince aussi haut qu'ils le peuvent et se mettent à virevolter et à attirer l'attention par mille tours. Leurs danses fascinantes, agrémentées d'habiles propos, font facilement tourner bien des jeunes têtes.

«Ma cousine ne put échapper aux effets envoûtants de la parade amoureuse et donna son cœur dès le premier soir. Cependant, en fille bien élevée, elle résista à la tentation de s'abandonner et notre crabe, d'abord dépité, n'en devint que plus amoureux.

«Il se prit au jeu, et notre charmeur fut victime de ses propres manigances, puisque, à son tour, il souffrait du mal d'amour. Lui qui n'avait connu que des succès faciles dut s'armer de patience.

«Par bonheur, la belle n'était pas coquette. Notre soupirant s'évita donc les tourments que subissent d'ordinaire les infortunés amants, ceux qui font la cour à d'autres plus cruelles.

«Il lui fallut apprendre à modérer ses transports et il entama la lente et douce montée qui, du moins il l'espérait, le mènerait de faveurs en caresses jusqu'au septième ciel.

«Combien longue et cruelle lui parut l'ascension!

«Sa persévérance fut récompensée puisque ses sentiments non seulement résistèrent à l'épreuve mais qu'ils s'y fortifièrent.

«Son désir qui, s'il avait été satisfait, aurait pu transformer l'aventure en une simple amourette, devint, sous le coup de l'exaspération, une véritable passion. Il ne jurait que par elle et il était prêt à renier parents et amis pour posséder, ne fût-ce qu'un instant, l'objet de sa flamme.

«Ma cousine qui était heureusement plus réservée, essaya, au cours de leurs nombreux rendez-vous, de tempérer ses ardeurs. Elle s'efforça de le dissuader, mais n'y mit pas toute la conviction nécessaire, car en même temps, elle craignait de le perdre. Elle le bombardait de discours raisonnables et de sages propos tandis que son cœur capitulait!

«*A-t-on déjà vu*, disait-elle, *un couple plus mal assorti? Et quels enfants pourraient naître d'une pareille union? Nous vivons un amour impossible, et il serait préférable de ne plus nous voir...*

«En même temps, elle cherchait de nouvelles raisons pour le revoir. *Il me faut, pour mieux le convaincre, un autre rendez-vous*, se disait-elle, *mais ce sera le dernier!*

«Le temps passait, et leur amour n'en prenait que plus de force.

«Hélas! il n'en était pas de même pour notre petite crevette, qui s'affaiblissait dans la lutte qu'elle menait contre cette inclination si peu naturelle que son cœur n'arrivait plus à repousser. Combat stérile et épuisant! Privée de sommeil et d'appétit, il n'y a rien d'étonnant à ce qu'elle perdît ses belles couleurs.

«Qui l'aurait déjà vue ne l'aurait pas reconnue! Elle dépérissait à vue d'œil et n'était plus que l'ombre d'elle-même. Elle se traînait tout le jour, ne vivant plus que pour l'heure si attendue du rendez-vous. Celui-ci passé, elle s'abandonnait de nouveau à ses sombres pensées. Son corps exténué n'enfermait plus qu'une âme meurtrie et déchirée. Elle se languissait d'amour et ne songeait plus à s'en défendre.

«Son père, un homme d'affaires très occupé, ne s'était pas aperçu des changements qui avaient modifié l'apparence de sa fille. *Un séjour à la campagne et une nouvelle robe lui rendront à la fois couleurs et sourire*, avait-il même rétorqué à son épouse qui commençait réellement à s'inquiéter.

«Un jour que son mari était absent, cette dernière décida d'avoir une longue conversation avec sa fille. Poussée dans ses derniers retranchements, celle-ci avoua tout à sa mère, se soulageant d'un secret trop longtemps gardé et devenu trop lourd pour ses frêles épaules.

«Elle lui conta par le menu ses nombreuses rencontres et toutes ces mille petites choses qui paraissent si importantes aux amoureux. Elle lui décrivit son fiancé avec des mots si tendres et elle en parla en termes si élogieux qu'il était évident pour la mère que sa fille ne le voyait qu'à travers le prisme déformant de sa passion.

«Elle ne s'y trompait pas, et son amour maternel lui dicta la conduite à tenir.

«*Tu sais que je veux ton bonheur avant tout, lui dit-elle. Je suis certaine de ton affection pour ce décapode et j'ai assez d'expérience pour savoir que l'amour loge où il veut. Certes, je déplore que tu aies jeté ton dévolu sur un crabe. Même s'il est lui aussi un crustacé, il n'est pas de notre famille, ce qui rendra nos rapports difficiles.*

«*Cependant, je me demande parfois si un amour contre nature n'est pas préférable à celui que j'ai donné à ton père et qu'il n'a pas su apprécier. Ce n'est plus un secret pour personne que lui et moi ne vivons ensemble que pour les convenances. Dans notre milieu, si les cœurs se séparent, les fortunes restent unies. Avant de t'engager davantage, il serait bon que tu t'assures de la sincérité et de la profondeur des sentiments de ce jouvenceau à ton égard.*

«*Personnellement, ton choix m'étonne beaucoup. Même si ton prétendant possède toutes les qualités que tu lui attribues, il n'est pas des nôtres. Je passe sur le fait qu'il ne soit pas riche et que ses parents soient d'origine douteuse. Mais je suis profondément choquée de voir la manière disgracieuse avec laquelle ces êtres se déplacent! A-t-on déjà vu démarche plus risible? Aucune de mes amies ne me pardonnerait d'avoir donné ma fille à un tel pitre.*

«La mère, qui connaissait les limites que la nature impose à chacun, crut avoir enfin trouvé le moyen d'écarter habilement ce fâcheux prétendant. Elle conclut: *Mets ce jeune homme à l'épreuve, et s'il t'aime vraiment et tient à t'épouser, qu'il marche droit!*

«En entendant ce discours, notre crevette sauta de joie dans les bras de sa mère. Inondée de larmes de bonheur et éperdue de reconnaissance, elle la remercia chaleureusement:

«*Tu viens*, lui affirma-t-elle, *de me donner le jour une seconde fois.*

«Dans sa jeune naïveté, elle pensait que tout était possible aux amoureux!

«Comment t'exprimer son bonheur? Il y a parfois dans notre vie des moments indescriptibles et notre crevette en vivait un.

«Sache qu'elle embellit davantage. Non seulement ses joues reprirent-elles leurs couleurs, mais son regard s'enrichit d'une nouvelle expression si profonde et si éloquente qu'en la croisant, on ne pouvait s'empêcher de lire jusqu'au fond de son âme et de se dire: *Comme elle est belle et comme elle a dû souffrir!*

«Haletante, elle courut comme une folle à son rendez-vous, bousculant et renversant tout ce qui se trouvait sur son passage. Elle arriva la première et eut le temps de remettre un peu d'ordre dans sa tenue et dans ses pensées.

«Comprimant de son mieux les battements de son cœur, elle tenta vainement d'ordonner sa chevelure. Elle pleurait et riait tout à la fois.

«Dieu qu'elle était belle ce jour-là!»

Trop ému, mon narrateur dut s'arrêter un instant et quoique mourant d'envie de connaître la suite, je respectai son silence.

Émergeant enfin de ses souvenirs, il continua son récit d'une voix que l'émotion rendait plus vibrante.

«Lorsque son bien-aimé se présenta à son tour sous le rocher moussu qui abritait leur idylle, il n'eut même pas le temps de s'étonner du changement qui s'était opéré en elle que déjà, il la recevait dans ses bras, sanglotant de bonheur.

«Il la calma de son mieux et essuya les larmes qui noyaient son visage et cachaient son sourire. Dès qu'elle put parler, elle raconta sa conversation avec sa mère et assura son amoureux que leur bonheur ne dépendait plus que de lui!

«À son tour, il se laissa gagner par l'émotion et resta un moment figé. Lorsque enfin, il retrouva l'usage de la parole, ce fut d'abord pour s'adresser au ciel. Il tomba à genoux, le cœur rempli de joie et de reconnaissance, et il remercia l'Être suprême de lui avoir accordé une aussi grande faveur.

«Dans sa bonté infinie, Dieu avait été touché par les prières d'une de ses créatures les plus humbles.

«*Maintenant que nous avons l'assentiment de tes parents,* déclara ensuite notre don Quichotte à sa dulcinée, *je me fais fort de renverser tout obstacle qui s'opposerait à notre union!*

«Et, joignant le geste à la parole, il leva une pince menaçante en direction d'ennemis imaginaires. Il s'enflammait à mesure qu'il parlait, et ses propos belliqueux me furent ainsi rapportés:

«*Qu'ils y viennent, les autres, tous ceux qui voudraient nous séparer; je les attends de pied ferme!*

«Et notre fougueux petit crabe de défier le monde entier avec son arme dérisoire: *Je ne crains ni tes frères, ni les miens, ni personne, et aucune loi ne saurait briser notre amour!*

«Comme il était beau et comme sa passion le rendait éloquent! Ses déclarations n'étaient pas seulement destinées à l'élue de son cœur, mais elles s'adressaient à qui voulait bien l'entendre. Selon lui, la force de ses sentiments était assez grande pour balayer comme fétus de paille toutes les objections et les autres empêchements qui viendraient lui barrer la route.

«*Ce que le ciel a lié*, ajouta-t-il, *la mer ne peut le défaire. Seuls ceux qui n'ont jamais aimé disent que l'amour est aveugle. Nous autres, au contraire, nous avons une double vue qui nous permet d'admirer les charmes de la personne aimée, mais aussi de voir les beautés secrètes de son âme, même si l'objet de notre sollicitude se cache sous l'apparence la plus ordinaire.*

«Ainsi discourait notre courageux ami, dont la bravoure n'avait d'égale que l'inconscience. Il ne savait pas que le péril viendrait davantage des siens que des autres. Il ignorait que les us et coutumes sont des barrières autrement plus redoutables que les lois écrites qui nous protègent, et qu'on ne peut les enfreindre délibérément sans qu'il nous en coûte! Vouloir changer les mœurs était un crime d'autant plus grave qu'il bouleversait l'ordre établi et allait à l'encontre des idées reçues.

«Dans notre monde hypocrite, l'apparence l'emporte de loin sur toutes les autres considérations. À tel point que deux personnes de même couleur, mais dissemblables au possible, peuvent vivre ensemble sans soulever l'opprobre, alors que deux êtres de couleur différente, même s'ils s'aiment éperdument, ne rencontrent souvent que blâme et réprobation.»

Je trouvais les remarques de mon interlocuteur si pertinentes qu'elles auraient pu s'appliquer également aux hommes...

J'allais le lui dire, mais il ne m'en laissa pas le temps. Plein de son sujet et parlant comme pour lui-même, il continua:

«Je te laisse imaginer la joie qu'éprouvaient nos amoureux; cela faisait plaisir à voir. Jamais une petite crevette rose ne se sentit plus heureusement comblée. Lorsqu'elle put enfin placer un mot, elle rappela à son bon ami que sa mère avait donné son accord, mais à une condition.

«*J'ai cru comprendre, répondit celui-ci, que ton bonheur ne dépendait plus que de moi. Dans ce cas, considère-le comme assuré. Tu ne voudrais tout de même pas que je le gâche!*

— *C'est que,* avoua notre ingénue, *l'entreprise est plus risquée que tu ne le penses. Il te faudra accomplir une prouesse extraordinaire pour montrer aux autres la fermeté de tes intentions. Personnellement, je n'en ai nul besoin mais je serais fière que tu relèves le défi.*

— *Mets-moi à l'épreuve,* assura son chevalier servant; *il n'y a rien que je ne puisse faire pour mériter ton estime.*

— *Dans ce cas,* lui répondit candidement la belle, *il te sera aisé de satisfaire au désir de ma mère. Il te suffira de marcher droit!*

— *De marcher droit?* répéta notre héros, abasourdi... *Mais c'est impossible! De mémoire de crabe, je n'ai jamais entendu parler d'une chose pareille.*

«*S'il avait été question d'éprouver mon courage, je n'aurais pas craint d'affronter un requin! Si tu avais voulu connaître la force de mon amour, j'aurais pu soulever le gros rocher qui nous abrite. Enfin, si tu avais voulu juger de ma fidélité, j'aurais pu attendre jusqu'à la fin de mes jours que tu daignes rompre mon célibat.*

«*Mais marcher droit! Aller à l'encontre de la nature! Comment oses-tu me demander une chose pareille?*»

«Notre crevette en pleurs jura qu'elle n'y était pour rien et que si son amoureux l'aimait vraiment, il pourrait au moins essayer.

«Après une scène à vous fendre le cœur, le petit crabe promit tout ce qu'on voulut lui faire promettre. Il n'avait pas pu résister aux larmes de sa belle, et sa résistance avait faibli en même temps que sa raison. Il lui faudrait bien tenir sa folle promesse, car ils avaient déjà fixé la date du mariage!

«Encore fallait-il convaincre les parents des deux parties, et ce ne fut pas chose aisée.

«Habilement préparé par son épouse, le père de notre crevette céda assez facilement. Il est vrai qu'il aimait sa fille et qu'il lui avait jusque-là passé tous ses caprices. Il fit cependant quelques réserves sur l'état financier de la belle-famille mais son épouse calma ses inquiétudes en lui faisant miroiter les avantages d'une telle union.

«*Avec un crabe comme gendre,* l'assura-t-elle, *il te sera plus facile d'élargir tes marchés et d'augmenter ta fortune, et même de dominer la concurrence, en devenant le roi des crustacés!*

«Le père, devant toutes ces bonnes raisons, céda d'autant plus facilement qu'aucune n'allait à l'encontre du bonheur de leur fille.

«La mère, un peu snob mais maintenant acquise, voyait dans cette union insolite une bonne occasion de se faire remarquer.

«*Après tout, la morale évolue,* se disait-elle, *et un divorce, envisageable de nos jours, permettrait à ma fille de se sortir d'une situation délicate qui, de toute façon, défraierait la chronique... Avec un peu d'habileté, nous pourrions utiliser la publicité ainsi obtenue pour mousser nos affaires, en plus d'épater nos amis.*

«Ce furent les parents du petit crabe qui faillirent tout faire échouer. Ces gens simples avaient une conception de la vie beaucoup plus restreinte. Comme ils n'avaient pas fait de longues études, ils se fiaient davantage à leur bon sens qu'à ces raisonnements spécieux qui vous font faire le contraire de ce à quoi vous aspirez.

«Il fallut beaucoup de temps pour les convaincre, et ils ne cédèrent aux supplications de leur fils qu'après qu'ils se furent persuadés que sa décision était irrévocable.

«Parents débonnaires, ils s'inclinèrent sans comprendre, faisant passer la volonté de leur enfant avant leurs propres considérations.

«De leur côté, après de doctes débats, les autorités religieuses acceptèrent de bénir l'étrange couple. De savants docteurs, en parfait désaccord, ergotèrent longuement sur des termes dont le sens se prêtait aux interprétations les plus contradictoires.

«Après un duel oratoire remarquable qui se solda par un match nul, le président de l'assemblée, qui était un esprit avisé, décida d'accorder au couple le bénéfice du doute.

«*Mes frères*, avait-il dit aux Pères de l'Église divisés, *nous ne sommes pas ici pour contrecarrer les desseins de Dieu, mais pour essayer d'appliquer Ses directives de notre mieux. Voici un cas d'espèce fort embarrassant. Puisque ces deux enfants s'aiment et qu'ils pratiquent notre religion, marions-les. La Providence, qui les a si curieusement rapprochés, saura bien pourvoir à leurs besoins. Notre discorde provient davantage de l'indigence de notre foi que des arguments qui nous opposent.*

«L'autorité ecclésiastique accorda donc une dispense à nos tourtereaux, fournissant ainsi à l'Église une belle occasion de prouver à ses détracteurs que non seulement elle n'était pas rétrograde, mais qu'elle pouvait à l'occasion prendre des positions avant-gardistes.

«Les autorités civiles furent d'autant plus faciles à convaincre que le maire devait son poste au père de notre crevette. À présent que tout le monde était d'accord, il était temps de prendre les dispositions pour le mariage.

«Quant à notre petit crabe, il fit retraite dans un monastère éloigné et en profita pour faire peau neuve. Comme tous ceux de son espèce, il mua, ainsi que le faisaient autrefois les jeunes damoiseaux avant d'être armés chevaliers. Il quitta sa vieille carapace, et c'est dans le plus simple appareil qu'il commença sa veillée d'armes.

«Faible et presque nu, il dut attendre de longs jours, dans le jeûne et l'abstinence, que son armure durcisse. Enfin, un matin, le Supérieur du couvent jugea sa cuirasse assez résistante pour lui permettre d'affronter une nouvelle étape de sa vie et l'autorisa à courir vers celle qu'il aimait.

«Notre preux chevalier ne se le fit pas dire deux fois. C'est dans son nouvel équipage qu'il se rendit, d'une seule traite, à l'endroit où l'attendait la dame de ses pensées.

«Tu t'imagines bien que de l'autre côté, les préparatifs allaient bon train. La nouvelle s'était répandue comme une traînée de poudre, et l'on venait de très loin pour assister aux noces. Il fallait dès à présent retenir sa place dans l'immense grotte qui servait de cathédrale.

«Des ouvriers montaient des estrades le long du parcours que devait emprunter le couple nuptial. D'autres décoraient de banderoles et d'arcs de triomphe les avenues environnantes. Chacun y mettait du sien, même que de nombreuses plantes se pressèrent d'éclore afin de fleurir à temps le passage du cortège.

«Les coraux rivalisèrent d'éclat pour assortir leurs couleurs, tandis que les mousses habillaient de vert tendre les rochers nus. Les abords du temple foisonnaient d'algues marines dont les touffes, brassées par une eau turbulente, distribuaient dans la clarté diffuse d'innombrables jeux de lumière.

«Quelques-unes se détachaient et traînaient comme des guirlandes. D'autres dansaient gracieusement au gré des courants, alors que bon nombre remontaient à la surface et allaient enlacer récifs et roches affleurant. Les plus audacieuses accostaient les rivages et verdissaient les plages après que la marée les y eut déposées.

«C'est dans ce cadre somptueux que se célébrèrent les épousailles.

«La cathédrale était remplie bien avant l'aube, car beaucoup préférèrent dormir sur place plutôt que de manquer l'événement. On venait de partout, et toute la faune marine était représentée.

«À ce sujet et pour éviter de disgracieuses bousculades, le service d'ordre avait obtenu des plus hautes autorités que soit appliquée la trêve de Dieu. Cette mesure évitait surtout aux petits poissons de se faire manger par les gros. À l'époque dont je parle, elle était très respectée, car la crainte d'être excommunié enlevait toute ardeur aux plus belliqueux.

«C'était bien la première fois que l'on voyait tant de monde dans un si petit espace, et les pêcheurs ne comprirent jamais pourquoi la mer était vide ce jour-là! Par contre, les spectateurs étaient entassés comme des sardines, et il y eut de nombreux cas de suffocation.

«En attendant la sortie de la messe, les parieurs s'en donnaient à cœur joie et les preneurs aux livres étaient débordés. Ceux qui estimaient que le crabe marcherait de travers étaient de beaucoup les plus nombreux et de véritables fortunes furent misées en ce sens.

«D'autres, pour des motifs pas très avouables, il faut le dire, pariaient le contraire. Par exemple, tous ces petits crabes qui s'efforçaient de marcher droit autour de la grande place. Plusieurs d'entre eux en pinçaient pour quelque jolie crevette et se disaient: Si l'un d'entre nous peut le faire, pourquoi pas moi?» Et la foule cruelle se riait de leurs tentatives maladroites.

«Il y avait aussi toute une colonie de crustacés qui étaient partagés de sentiments plus obscurs, allant de la jalousie à l'envie, en passant par l'admiration pour cet être courageux et insensé qui avait eu l'audace de défier les lois naturelles et de leur opposer celles que lui dictait son cœur.

«Quelques rêveurs isolés et autres poètes perdus dans la masse incrédule espéraient le miracle et souhaitaient que toutes les espèces s'unissent, quelles que fussent leurs formes et leurs couleurs, afin qu'un jour, l'amour et la paix règnent en ce monde.

«Enfin, les portes s'ouvrirent, et la puissante haleine des grandes orgues souffla d'un seul coup toutes les conversations. C'est dans le silence le plus absolu que tous les regards se tournèrent vers la sortie de l'église.»

Mon interlocuteur était de nouveau si ému que je me demandai soudain si son cœur n'avait pas battu en secret pour l'héroïne de notre histoire.

Comme pour confirmer mes doutes, son regard s'assombrit un instant, et c'est d'une voix assourdie qu'il reprit:

«Comme dans un rêve, je revois encore ce moment triomphal où la jolie petite crevette rose aux yeux bleus s'appuya de tout son poids sur le bras vainqueur de son époux.

«Le pincement au cœur que j'éprouvai en la voyant en compagnie d'un autre m'avertit que l'attention que je lui portais n'était peut-être pas que de la bienveillance. À ce moment-là, je l'avoue, j'eus la faiblesse d'envier son heureux mari.

«Il fallait les voir descendre majestueusement les marches du parvis dans l'apothéose du soleil levant. L'astre du matin incendiait la mer, et des traînées de feu allumaient d'innombrables coraux, dont le scintillement éclairait la scène mieux que mille flambeaux.

«L'escalier enfin descendu, le couple s'engagea dans l'allée fleurie, dont la redoutable ligne droite représentait pour notre ami l'épreuve décisive. L'instant était solennel, chacun retenait son souffle. Même les carpes, pourtant muettes, ouvraient toutes grandes leurs bouches.

«Un pas, deux pas, trois pas... À l'étonnement général, un fait incroyable se produisit. Notre petit crabe suivait parfaitement la ligne médiane qui partageait la route et il n'empiétait pas d'un pouce sur les bords.

«Autrement dit, il marchait droit!

«La foule, bouleversée, ne put se contenir davantage. Elle explosa si violemment que les riverains crurent à une tempête. Les uns applaudirent à tout rompre tandis que les autres s'extasiaient bruyamment. Il était impossible de rester indifférent devant un exploit si prodigieux qu'aucune force naturelle ne semblait pouvoir expliquer.

«Dans un brouhaha indescriptible, les mariés poursuivirent leur marche triomphale. Je me rappelle encore cette ovation monstre qui a longuement secoué le fondement même de la mer.

«L'épouse rougissait de confusion, en même temps que de plaisir et d'orgueil. Elle se plaisait à croire que l'amour qu'elle avait inspiré était assez puissant pour pouvoir expliquer à lui seul le miracle.

«La journée se termina dans l'allégresse. Elle fut si mémorable que la mariée ne put jamais emporter tous les présents qu'elle reçut ce jour là et que la mer, longtemps incrédule, marqua d'une pierre blanche le lieu de l'événement.

«Les époux ne gagnèrent leur logis qu'à l'aurore, accompagnés par de nombreux fêtards qui leur donnèrent une dernière aubade.

«Le réveil fut pénible, après une nuit aussi agitée.

«Le petit crabe se leva la bouche amère, encore étourdi par les nombreuses libations de la veille, et il se dirigea vers la salle de bain pour y étancher une soif inextinguible.

«La jeune épouse, qui ne dormait plus, s'aperçut tout de suite que son mari avait retrouvé sa démarche louvoyante. Elle s'en indigna et lui fit une scène: *Comment peux-tu rompre si vite ta promesse?* s'écria-t-elle.

«Désenchantée, les larmes aux yeux, elle connaissait sa première déception dès le lendemain de son mariage.

«Au lieu de la consoler comme il avait l'habitude de le faire, notre crabe se fâcha. Je sais que beaucoup de mâles se comportent ainsi lorsqu'ils ont obtenu les faveurs de celle qu'ils convoitaient, oubliant rapidement leurs serments et se montrant sous un jour peu favorable.

«Dans le cas qui nous occupe, ce fut un peu différent. Notre jeune crustacé avait espéré que son épouse lui pardonnerait son subterfuge. Elle avait affirmé sur tous les tons que la manière dont il se déplaçait ne lui importait guère, mais qu'il lui fallait marcher droit pour obtenir sa main.

«Pour plaire à l'élue de son cœur et pour respecter son engagement, il avait donc dû employer des moyens peu orthodoxes. Il avait confié ses difficultés à un vieux crabe réputé dans l'art du déguisement et expert en tromperies de tous genres, celui-ci avait accepté de l'aider, moyennant finances.

«Il faut dire que le monde sous-marin s'accorde pour reconnaître les aptitudes particulières qu'ont les crustacés à modifier leur apparence.

«*J'ai repéré, pas très loin d'ici, une épave intéressante*, lui avait soufflé à l'oreille le maître de l'illusion. *Elle est remplie d'amphores, et ces vases antiques contiennent une liqueur qui a des effets surprenants; bois-en et tu marcheras droit!* Ce qu'il fit d'ailleurs avec succès, même si, curieusement, les hommes obtiennent des résultats contraires!

«Son épouse, qui appréhendait les moqueries de son entourage et les pressantes explications que ne manqueraient pas d'exiger ses parents, oublia ses propres engagements et reprocha à son mari non seulement d'avoir abusé de sa confiance, mais aussi de l'avoir traumatisée avec cette aventure si blessante pour son amour propre.

«Désillusionné à son tour, le petit crabe lui répondit, d'une voix pâteuse où perçait l'amertume:

«*Si tu crois que pour te faire plaisir je vais me soûler tous les jours, eh bien, là, tu te trompes!*»

•••

Navré et sincèrement déçu que la vanité l'ait emporté sur de plus nobles sentiments, le conteur conclut à regret:

«C'est ainsi que se termina l'histoire d'un grand amour qui avait été assez fort pour vaincre les pires obstacles, mais qui s'est éteint, coupable d'avoir défié les lois de la nature et victime du plus redouble de tous les péchés, celui de l'orgueil...»

LE SAINT-LAURENT

Entre deux amours, mon cœur balance
Lorsque je suis près de l'un, c'est à l'autre que je pense.
Pourquoi faut-il que ce soit en m'éloignant
Que j'éprouve pour chacun, les plus vifs sentiments?

Pourquoi faut-il que ce soit seulement à distance
Que j'en saisisse les plus subtiles beautés
Et que je gâche, par mon inconstance,
La joie des amours retrouvées?

L'inspiration capricieuse suit le même mouvement,
Et c'est en voyant les eaux de la Gironde
Que je décris le mieux celles du Saint-Laurent!
Mais qui d'ubiquité est atteint en ce monde?

Puisque, à la réalité, mon rêve je préfère,
Et qu'en ce moment, la Garonne me retient,
Vous me pardonnerez, du moins je l'espère,
De vous parler du Saint-Laurent, de lui et de ses riverains.

SAINT-LAURENT: Grand fleuve de l'Amérique du Nord, qui s'étend sur 3 800 km. Il prend sa source dans le lac Supérieur et baigne Montréal et Québec, avant de se jeter dans l'océan Atlantique par un magnifique estuaire. De grands travaux l'ont rendu accessible aux navires presque toute l'année.

Nichée au creux d'un des bras puissants du fleuve, l'île Sainte-Hélène tache, par son oasis de verdure, les eaux grises du Saint-Laurent.

Une longue chenille fait onduler son dos métallique, en essayant de traverser à gué le large obstacle. Elle utilise habilement les moindres rochers pour y poser ses pattes gigantesques. L'île, embellie par la main de l'homme, tente vainement de cacher l'énorme insecte de sa haute frondaison. Mais le pont Jacques-Cartier, par son écrasante masse, impose sa présence à des lieues à la ronde.

La pelouse, soigneusement taillée, escalade quelques monticules avant de s'incliner en pente douce jusqu'au pied de l'eau. De nombreuses allées, bordées de bancs et de quelques tables, tracent dans ce tapis vert de gracieuses arabesques.

Délaissant ces endroits trop fréquentés, je m'allonge dans l'herbe épaisse et je contemple l'eau vive que froisse un vent léger.

À mes pieds, docile, le Saint-Laurent glisse ses eaux profondes en d'irrésistibles élans. Sûr de sa force, ce géant n'éprouve pas le besoin de la montrer; il coule paisible, certain d'arriver.

Il ne gaspille pas son énergie en vains tourbillons ou en d'autres inutiles cabrioles. Il n'est pas de ces fleuves courtisans qui vous lèchent les pieds, sous prétexte d'aller à votre rencontre.

Il n'a pas non plus la morgue affichée par ceux qui, pour garder leurs distances, s'entourent de hauts remblais. Il n'est ni à portée de la main, ni inaccessible.

Il est à l'image du pays qu'il arrose, autonome et tranquille. Par la régularité de son cours, il montre sa constante détermination. Ne cherchant pas à plaire, il va droit au but et ne s'embarrasse pas de sinueux détours.

Incapable de percer la voûte feuillue qui me protège, le soleil cruel darde ses rayons qui, en se réfléchissant sur l'onde, m'obligent à tenir les yeux mi-clos.

Au-dessus de moi, le vent effiloche quelques nuages chevelus qui se reforment un peu plus loin, au gré de leur fantaisie, tapissant le ciel de dessins capricieux. Quelques mouettes criardes se mêlent au jeu et semblent vouloir rassembler, à coups d'ailes et de cris, le céleste troupeau.

La réverbération fait trembler l'air au-dessus du fleuve qu'un long frisson parcourt de temps à autre.

J'ai encore souvenance de quelques paillettes d'or accrochées à mes cils, brillants éclats de lumière intermittente. Puis, bercé par le clapotis paisible de l'eau, je crois bien que je me suis endormi.

Portée par la brise, la voix du fleuve atteignit mon oreille. Ce fut d'abord comme un murmure, un doux froissement, puis le son se fit plus distinct, et des mots me parvinrent de façon intelligible. C'est alors seulement que je compris que le Saint-Laurent m'adressait la parole.

«J'attendais ta visite, me dit-il. Je sais qu'un autre fleuve qui, comme moi, se jette dans l'océan, t'a appris notre langage.

«J'ai lu dans ton cœur et je connais les sentiments généreux qui t'animent. Quoique n'étant pas né sur mes rives, tu connais assez bien mon parcours pour être instruit de mes mérites et pour comprendre mon chagrin.

«Des gens venus d'autres continents me critiquent très sévèrement. Peut-être ont-ils raison et, dans ce cas, je suis prêt à m'amender.

«S'il te plaît, écoute d'abord leurs accusations, puis prête une oreille attentive à mon plaidoyer, afin qu'en connaissance de cause, tu puisses nous servir d'arbitre!

«Il y a longtemps que je porte seul ma peine et que je coule des jours malheureux. J'étais certain de bien faire, mais sous les reproches répétés, le doute m'envahit et je me désespère.

«Toi qui viens d'ailleurs, permets que je te fasse juge, car ton impartiale indulgence saura trancher notre différend en toute équité! Qui d'autre qu'un poète pourrait mieux me comprendre et me laver des accusations que l'on me porte?»

Mon assentiment à peine acquis, le fleuve s'écria, dans un furieux grondement où perçait l'amertume:

«**Voici leur réquisitoire!**

«Ces personnes trouvent que tous ces lacs pour ma naissance font bien trop de pères. Même si l'un d'eux m'a reconnu pour fils, ma mère devait être bien légère! Étant soupçonné de bâtardise, il n'est donc pas étonnant que l'on m'accuse de manquer de grâce et que l'on ne trouve mes proportions guère harmonieuses!

«J'ai bien trop de ventre pour ma grandeur, à ce qu'on dit. On prétend aussi que mon air débonnaire dissimule un manque de caractère et que je n'aurais jamais pu me frayer un passage sur un chemin plus abrupt!

«S'ils me trouvent bon travailleur, ils ne m'emploient que pour les basses besognes.

«Je ne suis pour eux qu'un porteur d'eau!

«On m'accuse de mener à l'abattoir des forêts entières, sous prétexte d'en faire du papier, et de me faire le complice de ceux, trop nombreux dans mon entourage, qui dépouillent la nature de ses plus riches attraits.

«Les bateaux qui naviguent sur mon cours sont, à mon image, de gros lourdauds dont la rouille souvent visible témoigne du peu de soin dont on les a entourés! Glissant sur ma route fluviale, ils ont davantage l'allure pataude de mulets de charge que celle de fringants coursiers!

«Où sont donc les voiles multicolores des bateaux de plaisance?

«On déplore également mon manque d'éducation et mes manières grossières.

«J'étale trop, à leur goût, mes inépuisables richesses et ma prospérité est blessante pour ceux qui n'ont rien. En montrant ostensiblement ma fortune, j'agis en nouveau riche, un peu comme mes riverains!

«Quelle débauche d'eau alors que les déserts couvrent une si grande partie de notre planète!

«Même ma façon de donner est sujette à caution. *Pourquoi*, me dit-on, *annoncer avec si peu de discrétion la fonte des neiges? Et pourquoi tirer le canon lors de tes débâcles? Le monde sait très bien que l'énorme quantité d'eau accumulée dans tes glaces haussera à chaque printemps le niveau de l'océan...*

«On m'accuse aussi de dilapider mes biens.

«En éparpillant mes forces dans d'innombrables bras morts, je gaspille, paraît-il, un précieux capital! On prétend même que je vis à crédit en gonflant mes lacs avant d'avoir reçu mes affluents!

«*Ces lacs*, insinue-t-on, *ne seraient-ils pas de nombreux miroirs dans lesquels je me complairais à admirer ma suffisance?*

«Et ils n'arrêtent pas là leurs remarques désagréables, critiquant mon climat trop rigoureux et mes hivers trop longs.

«*Tu n'as pas*, me reprochent-ils, *l'esprit des fêtes. Tes berges sont tristes et morne est ton chemin. Peu de guinguettes animent* tes rives et tes flots ne sont guère illuminés par les bateaux faisant croisière. À l'heure des étoiles, nulle musique ne vient troubler le pesant silence qui s'abat sur tes nuits. Et comme tu n'as pas de vie nocturne, on s'ennuie chez toi!

«Et pourquoi ce goût enfantin de l'épate qui te pousse, par de tapageuses façades, à attirer l'œil du passant? Ces devantures gigantesques cachent souvent un intérieur bien étroit!

«Trompé par la grandeur démesurée de ton estuaire, Jacques Cartier s'était imaginé qu'il suffisait de remonter ton cours pour traverser de part en part le continent qu'il venait de découvrir!

«Ainsi parlèrent mes accusateurs.

«J'avais déjà courbé la tête sous leurs quolibets railleurs, sachant qu'une part de vérité habille toujours les pires mensonges.

«L'envie, ce travers si détestable, ne se cache-t-elle pas souvent derrière le paravent d'une vertueuse indignation? C'est d'ailleurs par son extrême sévérité qu'elle trahit sa présence.

«Et celui que tourmente un vif ressentiment est un bien mauvais juge!

«Plus que les autres, les grands de ce monde sont exposés à la critique; il leur faut bien payer d'une quelconque façon leur enviable réussite.

«Et comment devenir grand sans paraître? A-t-on déjà vu un ruisseau inscrire son tracé sur la mappemonde?

«Combien de torrents, gonflés par de violents orages, se crurent un instant les égaux des plus prestigieux cours d'eau? Quelle cruelle déception lorsque, le ciel étant redevenu serein, ils durent réintégrer leur lit! Laissons les vaniteux se gonfler d'importance, le temps se chargera bien de les remettre à leur place.

«La célébrité a ses servitudes, et l'obligation que nous avons de nous montrer nous rend accessibles non seulement aux éloges, mais aussi aux critiques. Mon dos est assez large pour supporter les uns et les autres, qui, d'ailleurs, sont la plupart du temps immérités.

«La dernière remarque que l'on m'a faite est la seule qui m'ait touché vraiment. Juges-en par toi-même.

«*De tous les défauts qu'il nous a fallu dénoncer*, m'avouèrent-ils, *celui-ci est certainement le pire, à nos yeux. Partout ailleurs, des peintres, des écrivains et des poètes ont célébré, au cours des siècles, le moindre cours d'eau qui les avait vu naître. C'est ainsi que de modestes rivières inspirèrent les plus grands artistes et passèrent, en même temps qu'eux, à la postérité!*

«*Combien de tes riverains ont chanté tes louanges?*

«*As-tu compté les rares œuvres d'art qui jalonnent ton parcours, alors que d'autres, plus prolifiques, reflètent dans leurs eaux de superbes et nombreux châteaux?*

«*Serais-tu incapable de faire naître des sentiments élevés?*

«*Nous craignons que tu n'en aies guère!*

«Face à d'aussi lourdes charges, je ne peux, pour assurer ma défense, utiliser de meilleur plaidoyer que de te raconter mon histoire. La voici:

«Il y a très longtemps, figée pour l'éternité, une épaisse calotte glacière recouvrait le vaste bassin qui m'a vu naître. Sur cette énorme patinoire, des glaciers effectuaient de lentes promenades.

«Retenus prisonniers par les glaces, de gigantesques rochers les y accompagnaient. Bons patineurs, ils traçaient de leurs lourds patins d'étonnantes figures. Instruments aveugles du destin, leurs lames tranchantes découpaient et ciselaient les contours de fabuleux miroirs.

«Lorsque, bien plus tard, la température s'éleva et que les glaces fondirent, l'eau se trouva prise dans ces gigantesques cavités si patiemment creusées.

«Les montagnes, qui surveillaient les travaux, ne comprirent qu'à ce moment-là l'usage de ces profondes excavations. Sous leurs regards étonnés, l'onde renvoyait l'image de leurs cimes.

«Je soupçonne fortement l'étoile Polaire, dont la présence se manifeste si ostensiblement, d'avoir commandé cet élégant ouvrage à de célestes miroitiers. Presque chaque nuit, je surprends la coquette à se mirer complaisamment dans mes lacs. Pâlie par tant de veilles, elle ne s'enfuit qu'à l'aube, chassée par les rayons du soleil!

«Durant leur marche irrésistible, les glaciers, pulvérisèrent de nombreuses montagnes, étalant, en différentes couches de terres fertiles, les sédiments ainsi obtenus.

«Tels des laboureurs, ils travaillèrent d'abord la terre, pour la préparer à recevoir la graine des futures moissons.

«Les eaux retenues prisonnières dans les immenses réservoirs naturels n'acceptèrent pas volontiers leur isolement. Elles conjuguèrent leurs efforts pour se rapprocher. Elles réussirent à abattre les murs qui les séparaient et purent ainsi communiquer entre elles.

«L'entreprise était d'autant plus périlleuse que les cellules s'étageaient à différents niveaux et que l'onde fugitive devait affronter les risques de chutes dangereuses.

«Chaque percée victorieuse s'inscrivait par un nouveau nom au registre glorieux de leur épopée.

«Ainsi, le fleuve Sainte-Marie réunit par un saut périlleux les lacs Supérieur et Huron, et ce dernier, par le canal moins agité du fleuve Saint-Clair, rejoignit le lac du même nom.

«À leur tour, les lacs Saint-Clair et Érié associèrent leurs eaux par l'accommodant croissant formé par la rivière Détroit.

«Entre les lac Érié et Ontario, le fleuve Niagara avait eu la tâche moins facile. Il se heurtait à un obstacle démesuré, car il devait franchir une formidable dénivellation.

«En bon tacticien, il s'empara des hauteurs, puis il divisa ses forces en deux bras puissants pour ensuite s'installer, d'un mouvement enveloppant, en fer à cheval au-dessus de l'abîme. Par cette manœuvre, toutes ses eaux convergèrent vers le même objectif.

«Le point de chute établi, il pouvait lancer la grande offensive, laquelle, précédée d'un bruit de tonnerre et protégée par un rideau de brume, fut décisive. Dans un irrésistible élan, il plongea d'une hauteur de 53 mètres et tira le lac Ontario de sa solitude. Pour souligner l'exploit, il fut convenu d'appeler l'endroit "chute du Niagara".

«Ainsi s'écroulait le dernier bastion qui s'opposait à l'unification des Grands Lacs, car les lacs Huron et Michigan avaient depuis longtemps fait leur jonction, grâce à la complaisante entremise du détroit de Mackinac.

«Grisés par leurs succès, les Grands Lacs s'imaginèrent qu'ils formaient dès lors le plus grand empire nautique de la planète!

«Ils ne crurent donc pas les oies sauvages qui leur rapportèrent qu'en se déplaçant pendant plusieurs jours en direction du soleil levant, elles rencontraient un océan qui s'étendait à perte de vue. Ils se moquèrent carrément des sarcelles qui affirmèrent qu'un autre, encore plus grand, leur barrait la route vers le couchant!

«Il leur fallut entendre bien d'autres témoignages avant de commencer à douter de leur suprématie maritime. *N'aurions-nous pas pris les cloisons qui séparent nos cachots pour les murs extérieurs de nos prisons?* se demandèrent-ils. *Serions-nous prisonniers d'une plus vaste geôle?*

«Déçus, ils finirent par convenir qu'ils n'étaient qu'une mer intérieure!

«Le lac Supérieur, qui était le plus haut placé, tira les conclusions qui s'imposaient:

«*Nous savons maintenant que de plus grands que nous règnent en ce monde. Si, pour accomplir sa destinée, la moindre goutte d'eau doit s'unir à d'autres, le devoir du ruisseau n'est-il pas d'aller à la rivière? Et que serait un fleuve sans affluent? Lui-même ne porte-t-il pas toutes ses eaux à la mer?*

«*À notre tour, ne devrions-nous pas lui donner les nôtres? Créés à l'image des océans, n'en constituons-nous pas une divine parcelle? Pourquoi le destin nous aurait-il placés si haut s'il n'avait pas eu pour dessein de nous faire descendre?*

«*Et si, comme le prétendent les étoiles, notre Terre est ronde, n'est-il pas possible que l'eau qui entoure notre continent soit déjà en paradis? Ne serions-nous pas destinés à nous joindre à elle?*

«Ce discours emplit d'allégresse toute l'assemblée et il fut vivement applaudi. Hélas! chacun voulait gagner par ses propres moyens l'éden promis. Certains désiraient percer à l'est, d'autres à l'ouest.

«Mettant fin à la querelle, le lac Supérieur trancha:

«*Prenons la route la plus courte, allons vers l'orient! Le chemin sera long et semé d'embûches, et nous n'aurons pas trop de toutes nos forces pour rejoindre l'Atlantique!*

«*Formons une puissante armée et partons en croisade! Unifions-la sous un même commandement! Faisons-la profiter de notre providentielle dénivellation! Qu'elle prenne dès ici son élan et chacun, à son passage, sera tenu de lui apporter toute l'aide requise.*

«Ainsi fut fait.

«Avec le concours des oiseaux migrateurs, on dressa des cartes approximatives. Ce furent les outardes qui, plus habituées à se servir des courants aériens, donnèrent les meilleurs renseignements.

«*Ne cherchez pas, comme nous autres, oiseaux, à prendre les chemins les plus courts*, recommandèrent-elles.

«*Les montagnes vous seront de trop hautes barrières. Pour les contourner, vous devrez aller vers le nord-est et suivre les vallées qui séparent les Appalaches en différents massifs. Il nous arrive de suivre cette route, nous aussi, lorsque des vents trop violents contrarient notre vol ou lorsque la fatigue harasse les plus âgées d'entre nous.*»

Le fleuve, que j'écoutais attentivement, fit une pause et, sur un ton de légitime orgueil, il s'exclama:

«Te voilà maintenant au courant des nobles raisons qui me firent naître! Quel autre fleuve pourrait se vanter d'une aussi prestigieuse naissance? J'en connais, et de grand renom, qui virent le jour dans un ruisseau!

«Descendant majestueusement du lieu où je naquis, j'empruntai un escalier monumental dont chaque marche était constituée d'un de mes lacs.

«S'inclinant à mon passage, ceux-ci m'offraient toutes leurs eaux de surface. Si bien qu'à la sortie du lac Ontario, j'étais déjà le géant que tes ancêtres baptisèrent Laurent!

«S'inspirant sans doute des coutumes hawaïennes, les Grands Lacs saluèrent mon départ en me donnant de splendides cadeaux.

«Je reçus un somptueux collier, formé d'îles dont le chapelet s'égrenait très loin le long de mon échine. Je n'en ai jamais compté les grains mais je suis sûr qu'il y en avait plus de mille...

«Existe-t-il d'autres rivières aussi richement parées?

«Les premières pierres, mises en valeur par leur monture d'émeraude, jetaient des reflets nacrés veinés de vert sombre.

«Quelques-unes bouillonnaient de colère tandis que d'autres défendaient leurs berges par de coupants récifs.

«Plus loin, semblables à d'immobiles baigneuses, des roches tentaient de cacher leur nudité sous de blancs rideaux d'écume. D'autres, plus pudiques, ne montraient que leur tête!

«L'une d'entre elles, que je trouvais fort belle, avait paré ses approches d'une forêt de roseaux, si bien que les courants les plus violents devaient ralentir leur course et n'arrivaient à son rivage que sous forme de caresses.

«Les dernières, enfin, de la plus belle eau, exposaient aux regards émerveillés les arrondis de leurs formes parfaites. Il fallait les voir au soleil levant étirer paresseusement leurs ramures que le vent secouait en leur criant:

«*Debout! Comme tous les soirs, il vous faudra plaire à mon maître, le fleuve, et vous n'avez que la journée pour raviver vos charmes et triompher par votre beauté de sa proverbiale indécision!*

«Et les voilà qui, rivalisant de coquetterie, se miraient dans mes eaux.

«Conseillées par les saisons, elles changeaient sans cesse de parure en se servant astucieusement des accessoires que leur offrait la nature. Leur imagination débordante me confondait et me séduisait à la fois.

«Par exemple, l'une d'entre elles, que j'aurais peut-être pu négliger, attirait par je ne sais quelle ruse tous les oiseaux du voisinage. Elle les perchait par milliers sur ses cimes, de telle sorte que, mettant en valeur leur plumage, elle s'offrait les plus ravissants chapeaux que l'on puisse porter.

«Chacune avait son secret et de toutes j'étais épris!

«Les unes, consentantes, m'offraient leurs lèvres soyeuses et m'ouvraient leurs plages de sable fin, dont les grains lumineux dansaient dans mes eaux claires.

«D'autres, au contraire, pour augmenter mon désir, s'entouraient de hauts récifs et paraissaient aussi belles qu'inaccessibles!

«Il y avait bien sûr les capricieuses, celles que j'avais étreintes durant toute la nuit et qui, au petit matin, sans aucune raison, se détournaient de mon lit.

«Ne sachant laquelle choisir, j'hésitais, en amoureux transi, jusqu'à ce que le soleil couchant les éteigne les unes après les autres.

«Gardienne de ces inestimables trésors, la ville de Kingston dresse encore sa forteresse, dont les canons ont longtemps découragé toute intrusion dans mes eaux.

«Hélas! d'autres tâches m'appelaient, et c'est avec regret que je dus me séparer de ces joyaux qui, autant par la vivacité de leur éclat que par la belle ordonnance de leur arrangement, étaient dignes de parer les plus grands océans!

«Durant des millénaires, j'assistai, spectateur émerveillé, aux lents travaux du Créateur.

«Tel un artiste féru de perfection, Celui-ci reprenait sans cesse son ouvrage. Toujours insatisfait, Il ajoutait de nouveaux détails, ne craignant pas de revenir en arrière, et même de jeter quelques esquisses qui ne lui plaisaient plus!

«Bien avant ma naissance, Il avait déjà créé le ciel et la terre, et sans doute aussi les mers. Mais jusque-là, à ma connaissance, Il les avait dessinés en noir et blanc!

«Il avait remonté notre planète avec d'astucieux mécanismes, dont la stupéfiante ingéniosité n'avait d'égale que la grande complexité.

«Ce Divin Ingénieur aurait pu dès lors se reposer et laisser tourner notre ronde machine. Sans pour autant économiser sur les moyens, Il n'avait jusqu'à ce jour inventé que des choses utiles.

«Il nous révéla, par la suite, son tempérament d'artiste en créant, rien que pour le plaisir des yeux, une débauche de couleurs. Il les étala si harmonieusement et avec une telle profusion qu'aujourd'hui encore, les peintres de plus grand talent Le reconnaissent pour Maître!

«Si l'Être suprême s'est donné la peine de décorer son propre ouvrage, qui oserait soutenir qu'orner le nôtre serait du gaspillage? Ne serait-ce pas au contraire Lui rendre hommage que d'essayer d'embellir le cadre dans lequel Il nous a placés?

«Je ne sais pas à quel moment ni sous quelle forme Dieu créa la vie.

«Je n'en fus personnellement informé que le jour où je voulus connaître l'origine de ces agaçants picotements qui me chatouillaient le ventre! En me penchant bien, je vis des herbes mouvantes qui, sans que je les y invite, faisaient le ménage et balayaient mon lit.

«Plus tard, les poissons vinrent me tenir compagnie.

«Et bien plus tard encore, mes rives s'animèrent et mon site reçut enfin ses premiers locataires. Le Créateur avait donné à tous suffisamment d'espace et de moyens pour survivre. Mais pour que l'épanouissement des uns ne puisse nuire à celui des autres, Il avait dû, dans sa grande sagesse, dresser des barrières et en fixer les limites, lesquelles étaient parfois établies arbitrairement.

«Par exemple, après les avoir créées, Il avait donné à toutes choses une durée. Et c'est à peine si les objets de sa création avaient le temps de s'adapter à leur milieu que déjà Il leur reprenait la vie qu'Il venait tout juste de leur prêter. Ce procédé était peu élégant et encore moins pratique.

«Comme Il désirait, dans une certaine mesure, corriger sa maladresse et, il faut bien le dire, s'éviter un éternel recommencement, il donna à la nature la permission de se reproduire! En agissant ainsi, Il accordait aux espèces l'éternité qu'Il avait refusée aux individus.

«En guise de compensation, et comme Il avait des couleurs de reste, Il conçut les saisons.

«Il y a de cela très longtemps, j'ai rencontré l'Homme pour la première fois.

«Je m'en souviens encore parce que la journée avait été particulièrement chaude et que de nombreux animaux étaient venus s'abreuver dans mes eaux à la tombée du jour.

«À plat ventre sur les galets, la tête enfouie dans ses mains qu'il tenait en forme de coupe, il se désaltérait de bruyante manière. Alors que les autres animaux buvaient en silence, l'œil toujours aux aguets, lui semblait confiant et il n'était pas pressé.

«Je ne lui prêtai d'abord que peu d'attention.

«Je connaissais bien son frère l'ours qui, comme lui, se déplaçait souvent sur ses pattes de derrière!

«Des siècles passèrent, peut-être même des millénaires, et, à mon grand étonnement, au lieu de disparaître, l'homme s'affirma comme un dangereux voisin, même pour les animaux les plus féroces.

«Je l'ai vu disputer des proies à des adversaires redoutables. J'ignore comment il s'y prenait mais il en sortait le plus souvent vainqueur.

«À la belle saison, toutes sortes de créatures nageaient d'une rive à l'autre, me traversant selon leur bon plaisir.

«L'homme, qui n'aimait pas se mouiller, préférait dériver, inconfortablement installé sur des radeaux de fortune. Je compris qu'il était réellement doué d'intelligence le jour où, lassé de tomber à l'eau, il se mit à creuser des troncs d'arbres pour s'en faire des bateaux! Il se servait de tout ce qui lui tombait sous la main pour faciliter son existence, à tel point qu'il améliorait sans cesse ses performances.

«Il pêchait maintenant mieux que l'ours et à la chasse, il rivalisait de ruse avec le renard. Même le loup commençait à le craindre au combat!

«En regardant vivre les animaux, il découvrait leurs secrets et se hâtait d'en faire son profit, si bien qu'il finit par en savoir autant qu'eux. Il apprit très vite à reconnaître les plantes comestibles et à se méfier des autres.

«En subvenant plus facilement à ses besoins, il se dégagea quelque peu des servitudes qui avaient jusque-là occupé toutes ses journées. Bref, il eut du temps libre et ne tarda pas à s'en servir.

«Rassemblant ses idées éparses, il prit quelque peu conscience de son état et se mit à réfléchir. Ce fut certainement très laborieux, et je suis prêt à parier qu'il n'y arriva pas tout seul.

«Je soupçonne même le ciel de lui avoir donné un coup de main. Ne me demandez pas dans quel but, je n'en sais rien, car le Créateur m'en a toujours fait mystère.

«C'est en observant la nature que j'ai compris qu'elle attendait son maître depuis toujours! Si l'homme se pose encore des questions sur son origine ainsi que sur sa destinée, nous savons par contre que c'est pour lui que nous avons été créés.

«Il était normal qu'on plante d'abord les décors sur le site de ses futurs ébats. Il fallait voir avec quelle richesse et quel souci du détail ils furent installés! Ils allaient des éléments essentiels qui lui permettaient de survivre jusqu'aux plus insignifiantes babioles, dont on ne sait pas encore si elles étaient là seulement comme parure ou si elles servaient à étayer quelque secrète fondation.

«Pour embellir son théâtre de verdure, Dieu n'avait pas lésiné sur les ornements, et encore moins sur les dorures.

Sans compter qu'Il pouvait se permettre de rivaliser avec les plus grands metteurs en scène.

«Prenons le cas du soleil.

«Le scénario qui régit le déroulement des journées est vraiment d'une ingéniosité remarquable. Longtemps, les hommes inquiets craignirent que chaque jour ne fusse le dernier! Et le suspense dure encore...

«Voilà un astre dont l'indispensable présence n'est plus à démontrer. Il nous éclaire et nous chauffe en même temps, et les hommes lui trouvent tous les jours de nouvelles raisons de briller. J'en ai même vu qui s'en servaient pour mesurer le temps!

«Après nous avoir comblés de tant de faveurs, rien n'obligeait le Maître Divin à nous laisser son meilleur élève. Ce sujet des plus brillants, non seulement nous rend de nombreux services, mais il possède en plus un sûr talent d'artiste.

«Sans sa lumineuse clarté, à quoi nous serviraient les couleurs? N'a-t-il pas engendré l'ombre, dont les multiples contrastes impressionnent encore les peintres d'aujourd'hui?

«Le soleil, en acteur consommé, sait se faire attendre, n'apparaissant que précédé de savants éclairages. Annoncées en grande pompe, ses entrées sont toujours très remarquées.

«Il sait que même si la pièce est bonne, la lassitude finit toujours par s'emparer du spectateur qui l'a déjà vu jouer. Voilà pourquoi il varie à l'infini la mise en scène. Moi qui te parle, j'en ai compté bien des sortes, mais aucune n'était pareille!

«Bon prince, il réveille chaque matin, en la touchant de ses rayons magiques, la terre endormie. Avec lui, un jour nouveau, c'est toujours une fête.

«Qui pourrait résister à son éclatant sourire?

«En véritable comédien, il sait aussi quitter la scène et réussir ses sorties. L'as-tu déjà vu mourir lorsque le jour s'achève et que le temps a permis la représentation? J'ai beau connaître la pièce et savoir qu'il n'y joue qu'un rôle, chaque fois je me fais prendre au jeu et je meurs avec lui!

«Il faut le voir traîner à l'horizon sa lente agonie et tacher de son sang les nuages qui bandent ses plaies ouvertes. Un pied dans la tombe, il s'agrippe désespérément aux cimes ne lâchant l'une que pour s'accrocher à l'autre. Abandonnant sa dernière prise et à bout de force, il glisse inexorablement vers l'insondable abîme que me cachent les décors.

«Même la nature, qui est pourtant sa complice, retient un moment son souffle! Prise à son tour par le jeu sublime de l'acteur, c'est figée d'angoisse et muette d'admiration qu'elle assiste à ses derniers instants.

«Puis, dans un final éblouissant, le soleil laisse tomber son sanglant rideau rouge qui éclabousse encore longtemps le ciel, après son départ!

«Muni de provisions suffisantes, et même s'il a dû pour cela tourner en rond, l'homme eut tout le loisir d'explorer la terre qui, elle-même prise dans une autre ronde, le retenait captif.

«Logé convenablement, il avait à sa disposition suffisamment d'indices pour pouvoir faire d'importantes découvertes au cours de ses investigations.

«Il admirait particulièrement la prévoyance de certains animaux qui, contrairement à d'autres, ne se laissaient pas duper par l'éphémère durée de l'été et qui, résistant aux joyeux appels de libertinage, amassaient leurs provisions d'hiver. Leur mérite était d'autant plus grand que les incitations à la paresse étaient nombreuses.

«*Pourquoi ainsi vous hâter*, disait la journée, *ne suis-je donc pas belle à regarder?*

«*Venez chanter avec nous,* l'invitaient les cigales, *qui étaient déjà tête légère!*

«*Reposez-vous, l'été sera long,* mentaient les ruisseaux, *qui ne se souvenaient plus d'avoir gelé tout l'hiver!*

«*Attendez au moins à demain,* leur soufflaient à l'oreille les vents, chargés d'odeurs prometteuses!

«Rien n'y faisait. Sourds et aveugles, ils remplissaient caves et greniers.

«L'homme, qui parfois les suivait à la trace, les voyait enterrer dans de profondes cachettes le fruit de leurs cueillettes.

«À la mauvaise saison, lorsque son ventre criait famine, il se souvenait de quelques emplacements et détroussait sans vergogne les malheureux épargnants.

«Heureusement que pour ces derniers, la neige arrivait à temps pour sauver du pillage plusieurs de leurs établissements!

«Vivant mal de ses rapines, l'homme décida à son tour de confier à la terre ses surplus de nourriture. L'hiver venu, il pourrait ainsi faire face à la disette.

«Hélas! il avait surestimé sa mémoire et il lui arrivait de ne plus retrouver son garde-manger. Il craignit d'avoir fait un mauvais placement.

«Par bonheur, la terre, en bon gestionnaire, lui servait l'année suivante de généreux intérêts qu'elle fixait astucieusement au bout d'élégantes tiges que le vent n'avait plus qu'à agiter pour attirer son attention.

«Ravi d'une telle récolte, l'homme se mit à investir davantage.

«Il dut pour cela creuser de nombreux trous et se donner de la peine. Et une fois de plus, ses efforts furent largement récompensés.

«Mais il venait de comprendre qu'il lui fallait arroser la terre de sa sueur pour que celle-ci consente à le nourrir. Le marché lui parut honnête et c'est en l'acceptant que l'homme devint cultivateur!

«Il est vrai que depuis Niagara et tout le long de mes rives, le sol fertile et la température, relativement clémente, favorisèrent sa décision.

«Un printemps précoce et un automne plus long suffirent à mes riverains pour comparer mes eaux à celles de la Méditerranée!

«Attirées par la promesse d'un climat moins rigoureux, de nombreuses espèces émigrèrent dans cette région.

«Des graines, venues d'on ne sait où, avaient certainement fait un long voyage avant de venir s'établir dans la vallée. La végétation abondante entremêlait les racines et alourdissait, jusqu'à leur faire toucher terre, les branches qui répandaient fruits, couleurs et parfums.

«Poussé par la curiosité, j'avais creusé à cet endroit mille petites baies qui me rapprochaient d'autant de ces odorants vergers. Si bien que je pouvais, par chacune de mes anses, saisir du regard les primeurs qui font encore de nos jours l'orgueil de l'Ontario.

«Venant des steppes glacées, des hommes aux yeux bridés descendirent à leur tour dans ce pays plus accueillant. Ces Orientaux, bons diplomates, n'eurent pas à lutter pour déloger les premiers occupants et prendre leur place. Au lieu de les chasser, ils les assimilèrent.

«Tu as deviné que les indigènes nés de ce croisement étaient ceux que tes ancêtres rencontrèrent en me remontant. Déjà connus pour leur faiblesse en géographie, ce n'est pas en les prenant pour des Indiens qu'ils améliorèrent leur réputation!

«Je poursuivis mon chemin en m'enfonçant vers le nord-est.

«Je rencontrai de nombreux obstacles et je dus en sauter quelques-uns.

«Le terrain très accidenté rendait ma progression difficile et je trébuchai à maintes reprises.

«Je partis alors en de longues glissades, et l'une d'elles m'amena au pied du lac Saint-François. Son accueil chaleureux me fit oublier mes déboires, et je me présentai confiant à la sortie.

«Je n'étais cependant pas au bout de mes peines, car d'autres périls m'attendaient sur le seuil de sa porte.

«Beauharnois, toujours facétieux, et sous prétexte de faciliter ma descente, me fit un croc-en-jambe, si bien que je m'affalai dans le lac Saint-Louis!

«En ce temps-là, ce geste n'était pas prémédité, comme il l'est aujourd'hui. De nos jours, en effet, des barrages hypocrites relèvent galamment mes eaux, pour mieux les faire rechuter un peu plus loin.

«Car si ces digues, faussement prévenantes, élèvent mon niveau, c'est dans le but peu charitable de me faire tomber de plus haut!

«J'avais parcouru un long chemin, et jusqu'à présent, seules d'étroites rivières m'avaient apporté leur maigre concours. L'inquiétude me gagnait, car les affluents sur lesquels je comptais ne se montraient guère.

«Le lac Saint-Louis, tout en rendant justice à mes efforts, m'incita à persévérer: *Tes plus grandes épreuves arrivent à leur terme*, m'assura-t-il. *Lorsque tu auras franchi les rapides de Lachine, les portes de l'océan te seront ouvertes!*

«Puis il me confia: *À ta gauche, une dame belle et riche attend ta venue. Passe ce dernier obstacle et tu gagneras son cœur!*

«Cachant coquettement son visage derrière le paravent de l'île Perrot, j'entrevis au large la ravissante silhouette d'une rivière qui s'intéressait à mon avance.

«Stimulé par cette mystérieuse présence, je me comportai en véritable champion, lançant à fond de train mes eaux tournoyantes. Dans une charge endiablée, je dévalai la dernière pente. Submergée, la chute m'abandonna la place et me laissa passer.

«Écartant enfin son masque, la belle inconnue glissa ses bras frais autour de mon cou et me donna l'accolade.

«Sous la bienveillante autorité du lac Saint-Louis, je reçus comme prix de ma vaillance, l'opulente rivière Outaouais.

«Elle m'apportait de fabuleux trésors.

«*Je suis née au pays de l'or*, me confia-t-elle, *et mes flots charrient de nombreuses richesses. J'arrose de vastes territoires et je règne sur de nombreux lacs. J'ai même plusieurs affluents. L'un d'eux m'a rapporté que, près de sa source, le lac Nipissing lui avait révélé que la rivière des Français avait prononcé ton nom avec une respectueuse admiration, après t'avoir aperçu dans le lac Huron entouré d'une nombreuse suite!*

«*Je savais qu'en longeant le pays des Algonquins, nos routes se croiseraient. La rivière Rideau, que j'expédiai aux nouvelles dans le lac Ontario, me parla de toi avec une telle éloquence que je t'aimais déjà sans te connaître! Pour remercier l'aimable messagère qui, par l'entremise de son canal, fut la première à te rencontrer, je lui ai permis d'installer à notre confluent la ville d'Ottawa, capitale actuelle de notre pays!*

«*Maintenant que j'étais éprise, aucune barrière ne serait assez forte pour nous séparer, et le barrage Carillon l'apprit à ses dépens! Je dus cependant m'arrêter au lac des Deux-Montagnes, pour ne pas laisser les battements de mon cœur trahir mon émoi. Et c'est avec une feinte indifférence que j'attendais ton arrivée.*

«Si tu veux faire de moi ta compagne, me proposa-t-elle, *joignons nos fortunes. En gage de mon amour, je t'offre toutes les fourrures qui emplissent, à la belle saison, les canots que je mène aux postes de traite!*

«Ému par tant de largesses et troublé à mon tour par un délicieux sentiment, je mêlai dans de fougueux tourbillons mes eaux avec les siennes.

«Je lui fis un cadeau de noces digne d'une reine. Je plaçai sur sa tête un éclatant diadème.

«Un cordon de rochers ceinturait sa monture, entourant d'autres diamants encore plus gros. À leur tour, ceux-ci supportaient une montagne, que couronnait le mont Royal.

«Je vois à ton sourire que tu les as reconnues. Je lui offris en effet, en guise de couronne, les îles de Montréal!»

Le fleuve resta un moment songeur et je respectai son silence. Il semblait perdu dans d'aimables souvenirs. Il flottait sur ses lèvres un vague sourire qui, mieux que des paroles, exprimait de lointaines félicités.

Je n'osai interrompre quelque secret dialogue et couper, par des paroles maladroites, le fil ténu qui guidait ses pensées.

Des souvenirs remontaient à la surface. Je ne pus les distinguer clairement. Était-ce les siens? Était-ce les miens?

Parmi les remous de l'existence, il arrive ainsi que des images émergent çà et là, épaves de notre vie passée, débris à peine identifiables. C'est tout ce qui reste de notre jeunesse.

Combien de nos projets et de nos espérances se sont échoués, à peine mis à flot? Et qui pourrait nous dire ce que sont devenues nos joies et nos peines? Se pourrait-il que nos premières amours soient perdues corps et biens?

Ce fut le fleuve qui me tira de ma méditation.

«Vois-tu, me dit-il d'une voix lointaine, j'ai dû me coucher dans un lit mal fait, et tous mes ennuis viennent de là.

«Autrefois vivait ici une mer dont j'ai pris la place. Chassée par l'océan pour sa paresse, elle dut se retirer dans son lac et fut condamnée à y mourir de vieillesse! Par l'entremise du lac Saint-Pierre, la rivière Richelieu m'en a fait plus tard la confidence.

«Tu sais combien nous autres, fleuves, prenons soin de nos bords et de notre fondement. Au fil des siècles, nous frottons, polissons et sablons sans répit nos rivages, ayant de cesse que lorsque notre maître le courant ne rencontre plus, sous sa main caressante, que douces rondeurs et que ventres lisses.

«Négligente, la mer Champlain, au lieu d'aplanir ses hauts fonds, me les légua, tels qu'elle les avait reçus. Elle préférait s'étaler sur les rochers et se dorer sur les plages plutôt que de gratter et polir son plancher. Ne cherche pas d'autres raisons aux nombreuses chutes qui rendent mon parcours si dangereux!

«Les glaciers, en creusant mon talweg, tentèrent bien de me tracer un chenal. Ouvriers peu consciencieux, ils bâclèrent l'ouvrage, en comblant, avec de fragiles sédiments, les fosses sous-marines. De plus, ils oublièrent d'ôter de gros rochers dont certains obstruent encore mon chemin.

«Très occupé, l'océan se fia à son entrepreneur et n'inspecta pas les travaux. C'est pourquoi il ne put déceler les failles qui rendirent longtemps ma voie impropre à la navigation.

«J'avançais allégrement, ayant mis toute ma confiance dans la solidité du granit qui supportait mes assises.

«Hélas! le sol trop mou cédait sous mon poids et je m'effondrai à maintes reprises. L'étalement de mes lacs confirme mes dires.

«Le sort ne m'a pas particulièrement favorisé en m'octroyant un sol si instable. On ne peut donc pas qualifier de promenade l'itinéraire qui m'a conduit jusqu'ici.

«Depuis seulement quelques millénaires, je m'efforce de réduire les disgracieuses protubérances qui bossellent mon dos et me donnent du ventre. Dans cent mille ans, il n'y paraîtra guère.

«Je comprends que l'homme, dont la vie est si brève, n'ait pas attendu la fin de mes travaux pour utiliser la route que je lui préparais.

«D'aussi loin que je me souvienne, des êtres empruntèrent ma voie pour se déplacer plus facilement, les uns se laissant paresseusement porter par le courant tandis que les autres, plus combatifs, remontaient vers ma source.

«Aux passages difficiles, tous mettaient pied à terre et contournaient l'obstacle, pour me revenir un peu plus loin.

«L'homme fit longtemps de même. Pour continuer sa route, sans pour autant s'éloigner de la mienne, il s'accompagna de lourds radeaux et c'est ainsi qu'il pratiqua le portage. L'idée était bonne puisque l'un portant l'autre à tour de rôle, ils arrivaient ensemble à destination.

«Toujours astucieux, l'ingénieux primitif creusa, pour alléger sa charge, aussi profondément qu'il le put le tronc des arbres. Il fit tant et si bien qu'à force de l'évider, il ne laissa que l'écorce! Devenu trop fragile pour le porter, l'homme dut alors le renforcer d'une fine armature qui lui donna une forme élégante, sans pour autant lui enlever sa légèreté.

«Une courte rame faisait office de nageoire, lui permettant non seulement de se diriger, mais aussi de remonter le courant.

«Je n'ai jamais bien compris comment ces fragiles embarcations, faites d'écorce de bouleau, naviguaient presque aussi bien que mes poissons!

«Je te ferai grâce de tous les noms que me donnèrent mes riverains. Ils s'alliaient en nations et se combattaient par bandes.

«Sache seulement que les Iroquois étaient mieux organisés que les autres. Ils s'établirent sur mes rives et y semèrent leurs premières graines. Ils polirent la pierre pour s'en faire des armes et des outils. Ils bariolèrent leur épiderme de vives couleurs et d'étranges motifs. Sans en critiquer la facture, je trouvais les teintes un peu criardes; à mon avis, ils abusèrent du rouge.

«Leur vocabulaire était peu étendu et pour se faire comprendre, ils employaient de nombreuses métaphores.

«Ils utilisaient des images et des comparaisons si justes et si belles qu'elles trahissaient, par leur usage, des sentiments profondément poétiques.

«Doués d'un esprit d'observation aigu et d'une ouïe très fine, ils communiquaient étroitement avec les forces de la nature, leur portant un respect proche de la vénération. Qu'ils eussent parlé à la lune ou qu'ils m'aient adressé la parole, ils le faisaient avec une admiration mêlée de crainte respectueuse.

«Ils n'hésitaient pas à m'accorder une âme. Ils redoutaient mes colères et m'apportaient des offrandes en échange de mes services.

«Ils ne bâtissaient pas et honoraient leurs dieux dans des temples à ciel ouvert.

«Pour ne pas s'égarer dans une si vaste église, ils plantaient de nombreux poteaux qui, sous le nom de totems, jalonnaient leurs déplacements. Ils les décoraient par la suite de sculptures, dont les sujets représentaient les objets de leur culte. Même si dans l'ensemble ils étaient bien exécutés, l'empilage des motifs nuisait à la clarté de l'œuvre!

«Beaucoup plus tard, des hommes blancs portés par de grands navires remontèrent jusqu'ici. Mais les rapides de

Lachine les ayant arrêtés, ils durent rebrousser chemin. Pas pour longtemps, car l'obstination de ces gens n'avait d'égale que leur intrépidité.

«Ils ne se contentèrent pas, comme le faisaient les autochtones, de faire le tour de mes obstacles, mais ils m'obligèrent, en déviant une partie de mes eaux, à me contourner moi-même.

«Ils m'attirèrent d'abord dans d'étroits canaux. Je cheminais dans l'un d'eux lorsqu'une porte métallique arrêta mon avance. Je n'eus même pas le temps de me retourner qu'une autre vanne, en se refermant sur mes arrières, m'interdit toute retraite.

«J'étais prisonnier! Pas pour longtemps, puisque sans aucune raison, la partie de l'écluse située en aval s'ouvrit et libéra mes eaux interloquées.

«C'est seulement en constatant que mon niveau n'était plus le même que je me rendis compte que j'avais pris l'ascenseur...

«Je restai confondu par l'ingéniosité de l'homme qui avait trouvé le moyen de me faire monter et descendre, sans même que je m'en aperçoive!

«C'est en observant l'ampleur grandissante de ses bâtiments que l'on pouvait le mieux évaluer l'étendue de son ambition.

«Grattant par ci, rognant par là, il creusa un chenal pour permettre à ses plus gros bateaux de remonter jusqu'aux Grands Lacs. Il fallait sans cesse agrandir les écluses, lever les ponts et élargir les approches.

«Si certains de mes détracteurs m'accusent de manquer d'envergure, je leur conseille de visiter les vastes aménagements qui rendirent possible la canalisation du Saint-Laurent. Je peux t'affirmer que c'est un ouvrage remarquable.

«Deux grands pays ne furent pas de trop pour le construire, car les difficultés rencontrées étaient à l'échelle du continent.

«Grâce à leurs efforts conjugués, la région des Grands Lacs, ajoutée à la mienne, forme une si grande étendue d'eau qu'il n'est pas excessif de la qualifier de huitième mer!

«De grandes villes, jadis prisonnières de leurs lacs, s'ouvrent aujourd'hui sur tous les océans. Pour te donner une idée de son importance, mon trafic actuel dépasse celui de la mer Méditerranée!

«C'est aussi grâce à la richesse de l'arrière-pays que de nombreux cargos portent dans leurs flancs de quoi nourrir des populations entières. S'ils n'ont pas l'élégance endimanchée des bateaux de plaisance, c'est qu'ils portent leurs habits de travail!

«Inlassablement, ces obscurs tâcherons effectuent leur interminable périple, ne connaissant aucune trêve. Pour eux, tous les jours se ressemblent. Ils appareillent à l'aube et ne jettent l'ancre qu'au coucher du soleil. Au mouillage, navires et équipages doivent refaire leurs forces et ils n'ont pas trop d'une nuit de sommeil pour y parvenir. En faisant le moins de bruit possible, je m'efforce de ne pas troubler leur repos. La nuit, les travailleurs ont besoin de silence.

«C'est vrai que sur mon fleuve, on ne fait guère de ronds de jambes et de jeux de société. Mais existe-t-il une tâche plus noble que celle de courir ainsi les mers pour combattre la famine dans le monde?

«Plusieurs royaumes, délimités par le cours d'un fleuve, profitent de sa présence pour le mobiliser et le transformer en garde-frontière, chaque rive surveillant sa voisine dans un antagonisme constant.

«Contrairement aux pointillés qui sur chaque carte divisent les pays, les travaux entrepris conjointement par les deux États les unissent davantage. Peu de barrières fluviales sont en effet aussi ouvertes que les miennes!

«Combien d'hommes persécutés dans leur patrie trouvèrent sur mes bords asile et sécurité! Et combien d'autres, chassés par la misère, vécurent ici dans la prospérité! Peu de fleuves peuvent se vanter de pratiquer aussi bien que moi les lois de l'hospitalité!

«L'intolérance est une plante vénéneuse qui s'accommode mal de mon climat. Elle pousse, ici comme ailleurs, mais n'y fleurit guère, car elle a besoin, pour s'épanouir, d'une plus forte chaleur. Un peu comme ces animaux venimeux qui, tel le serpent, n'osent pas franchir mes frontières.

«Ma latitude me protège de bien des importuns. Les quelques degrés qui manquent à ma température refroidissent aussi l'ardeur des combattants.

«C'est l'hiver, qui en bloquant les sentiers de la guerre, oblige les plus belliqueux à observer une trêve!

«C'est aussi la morte saison qui me permet d'éviter le déboisement de forêts entières! En gelant mes eaux, je prive les bûcherons de leur moyen de transport et je sauve bien des arbres d'une mort certaine.

«Les oisifs craignent le froid tandis que les travailleurs s'en accommodent. C'est pour cela que mes rives sont parfois désertes et que les bras manquent pour faire fructifier mes terres.

«Beaucoup de ceux qui me fuient espèrent vivre plus chaudement des jours meilleurs, tout en se donnant moins de peine.

«Espérance souvent trompeuse. Demande à nos voisins du sud, dont le ciel plus clément a favorisé le peuplement...

«Et pourtant, si tu savais comme elle est belle, ma vallée!

«Hélas! elle se comporte comme une jeune fille timide.

«Elle se tient sur le bord de ma route et ne fait rien pour se faire remarquer. Elle espère depuis longtemps l'arrivée de son prince charmant.

«Mais qui saura lui parler d'elle et qui saura la faire valoir? Où est l'amant passionné qui la prendra toute et ensemencera son ventre fertile?

«Bien sûr déjà, de nombreux sillons caressent ses flancs, et dès le printemps des récoltes se lèvent, pleines de promesses et d'encouragement. Dans ces vastes espaces, de nombreuses fermes témoignent de leur bonne volonté. Elles couvrent autant d'hectares qu'elles le peuvent et s'entourent de labours considérables. Mais trop de sol nu les sépare encore.

«Qui fécondera toutes ces terres vierges?

«En attendant, la belle garde tous ses attraits. Et moi, je sais qu'elle sommeille.

«Un jour, lorsque le monde aura épuisé ses ressources et qu'il enverra d'autres navigateurs explorer le nouveau continent, l'un d'eux tirera de sa torpeur la terre assoupie, se demandant par quelle aberration l'homme l'avait oubliée!

«Si elle s'était étalée dans une contrée surpeuplée, chaque arpent aurait été l'objet de soins attentifs. Elle aurait été traitée avec toute la déférence que l'on porte à une nourrice et honorée comme une seconde mère.

«Mais dans ce paradis presque inhabité, qui oserait blâmer les nouveaux Adams de s'être servis selon leurs caprices et de n'avoir mordu que dans les meilleurs morceaux? Ils étaient si peu nombreux et la vallée était si grande!

«Heureusement que l'hiver, en maître sévère, est venu mettre bon ordre à ce gaspillage. Par sa longue froidure, il obligea les colons, même les plus imprévoyants, à se protéger de sa rude étreinte.

«Il les regroupa autour des bonnes terres et leur suggéra de bâtir de chaudes maisons ainsi que de hauts greniers. En les occupant de la sorte, il leur fit oublier leurs mauvaises habitudes.

«Viens voir aujourd'hui comme leurs rangs sont bien alignés et comme ils se sont mis avec cœur à l'ouvrage! Viens que je te présente la vallée du Saint-Laurent!

«Ne t'étonne pas, si en parcourant les campagnes, tu ne rencontres plus les totems qui jadis marquaient l'emplacement des anciens cultes.

«Les nouveaux arrivants n'ont plus les mêmes croyances. Ces hommes actifs ont un maître à leur image. Pour leur dieu, le travail est une prière, et c'est sans doute pour cela qu'ils ont remplacé les totems par des silos.

«Mon voyage se poursuivit dès le lendemain de ma nuit de noces.

«Je te laisse imaginer les douces caresses que se prodiguèrent nos eaux intimement mêlées. Confuse et reconnaissante, la rivière Outaouais n'en finissait plus d'ajuster sa couronne.

«Est-ce parce que j'avais l'esprit encore en fête? Il me sembla que mes rives étaient plus aimables et que, tout le long de mon parcours, de riants villages m'envoyaient des signes d'amitié.

«Ainsi que tu le vois, je n'eus aucune peine à me glisser entre les monts Appalaches et les premiers contreforts des Laurentides. Comme une légère pente facilitait mon avance, mes eaux en profitèrent pour paresser quelque peu.

«Hélas! mon repos fut de courte durée! Quelques îlots, que j'avais envoyés en éclaireurs, me rapportèrent une inquiétante nouvelle.

«La mer Champlain, qui était décidément aussi étourdie que paresseuse, avait oublié d'ôter le lac Saint-Pierre de mon chemin!

«Il me fallut donc me remettre à l'ouvrage et combler de mon mieux les fosses laissées par ma devancière. J'amenai autant d'alluvions que mes eaux pouvaient en charrier et j'en tapissai le fond de l'énorme cavité.

«Aujourd'hui, mon travail est loin d'être terminé mais le chantier prend tournure. Par exemple, le gracieux bouquet que forment les îles de Sorel est en vérité le fruit de mon patient labeur. Il y a bien longtemps que j'ai apporté ces matériaux, qui devaient me servir à combler de profondes excavations.

«Si l'entreprise n'est pas encore terminée, c'est que je me suis laissé distraire par la séduisante rivière Richelieu. T'avouerais-je que ces îles providentielles cachèrent de tendres ébats? Et puis, comment ne pas céder, dans cette région ensorcelante, aux invites pressantes de ces charmantes rivières qui se jettent dans vos bras? Sous leur apparence modeste, elles cachaient un fort tempérament.

«Je ne puis trahir leur confiance et révéler leur abandon en te donnant leurs noms. Sache seulement que ces enjôleuses me transformèrent et que, d'anglo-saxon, je devins latin!

«Les villages du "Bord de l'Eau" le devinèrent. Il fallait les voir rompre leur alignement et se bousculer pour descendre à ma rencontre. Vois comme, pour me plaire, les maisons rivalisent de coquetterie. Parées de peintures claires et de toits élégants, elles grimpent sur les moindres collines afin de ne pas échapper à mon regard!

«Autrefois, c'étaient des forêts entières qui s'agitaient pour attirer mon attention. Des essences maintenant disparues se mêlaient aux érables, aux merisiers, aux bouleaux et aux nombreux conifères.

«Menacées d'extinction par l'avidité de l'homme, elles durent céder les premières places et se réfugier dans la montagne.

«Encore aujourd'hui, intimidées par la présence bruyante des tronçonneuses, elles se contentent de me regarder de loin.

«Lorsqu'au confluent des Trois-Rivières, j'accueillis un Saint-Maurice empêtré dans son sable, j'étais loin de me douter que la suite de mon voyage allait se dérouler dans un cadre aussi majestueux.

«Les rapides du Richelieu, sans vraiment m'inquiéter, accaparèrent toute mon attention et me déportèrent vers le nord.

«Heureusement que le soleil levant, qui me servait de guide, me permit de corriger ma route et d'obliquer vers lui.

«Depuis un certain temps, je recevais des messages de l'océan. Ce n'étaient pas de claires missives ni d'impératifs ordres mais, à certains signes, je devinais son influence.

«Sans raison apparente, mes eaux se comportaient bizarrement. Comme attirées par un aimant, elles montaient et redescendaient, sans avertissement.

«Au début, ce n'étaient que légers clapotis et simples pas de danse, mais comme le manège se répétait chaque jour et qu'il prenait de l'ampleur, je cherchai à connaître l'origine de la force mystérieuse qui poussait ainsi mes eaux à accomplir d'aussi étranges ballets.

«J'avais vainement interrogé le ciel et la terre. Leur discrétion fut exemplaire.

«Je compris que je ne devais compter que sur moi-même pour trouver la clé du mystère.

«Qui pouvait bien troubler ainsi les lois de la pesanteur et se jouer de mes eaux, comme d'un fétu de paille? Et quoi d'autre qu'une attraction céleste pouvait exercer une aussi forte influence? L'océan ne serait-il alors qu'un simple intermédiaire, obéissant à quelque astre assez puissant pour animer ses plates étendues?

«À force d'observer et de me creuser les méninges, je perçus d'autres anomalies. La fatigue qui commençait à alourdir mes pas disparaissait au fur et à mesure de mon avance.

«Bien que je m'en fusse réjoui ouvertement, je ne pouvais croire que la seule joie d'approcher du but me procurât un si grand soulagement. Je me sentais frais et dispos, et mon pied plus léger franchissait aisément les distances.

«Comment aurais-je pu savoir que l'océan, dans sa grande bonté, avait chargé la marée de m'apporter un puissant remontant? Le sel, pris à fortes doses, me fit l'effet de mille petites bulles qui allégeaient d'autant mes eaux fatiguées. Hélas! comme la plupart des médicaments, il avait très mauvais goût!

«Refoulé par l'apport généreux de la rivière Jacques-Cartier, mon courant se heurta violemment contre ma rive droite.

«Il dut se tailler une route escarpée au pied des falaises qui commençaient à lui barrer la route de ce côté.

«Au nord, amorçant un mouvement tournant, les Laurentides cherchaient à emprisonner mes eaux dans leurs énormes tenailles.

«Je me doutais bien que la vallée ne me laisserait pas partir aussi facilement. Même si je m'attendais à quelque tentative du genre, j'en fus très contrarié et je montrai mon mécontentement.

«C'est en grondant de colère et en écumant de rage que je franchis le couloir exigu que les rochers hostiles n'avaient pas eu le temps d'obstruer avant mon passage.

«Courant à la rescousse, l'Île d'Orléans arriva trop tard pour me couper la route. Je réussis à me glisser, avant qu'elle ne se place en bouchon dans l'étroit goulot qui avait permis ma fuite.

«Je quittai l'ingrate vallée avec beaucoup d'amertume, et tous vous diront que c'est à partir de cet endroit que mon eau, qui était réputée pour sa douceur, devint amère.

«Par contre, les mêmes personnes ajouteront qu'en s'y baignant, elles se sentent plus légères!

«Je venais de dépasser une contrée qui fut le théâtre de bien d'autres combats.

«D'aussi loin que je me souvienne, des peuples luttèrent pour s'assurer la possession du cap Diamant. Cette forteresse naturelle élève ses rochers bien au-dessus de ma tête et, de son audacieuse avancée, domine et commande le fleuve. Nul ne peut s'y aventurer sans avoir reçu sa permission.

«Les Hurons, qui en furent les premiers locataires, durent remettre les clés de leur village à tes ancêtres.

«Tes aïeux surent d'ailleurs rapidement les convaincre. En gens pressés, ils s'évitèrent de longues discussions en munissant leurs bateaux de canons.

«Peu généreux, les conquérants accordèrent aux autochtones des territoires qu'ils possédaient déjà, tout en leur prenant les autres.

«Les Indiens ont fait montre d'un calme à toute épreuve. Il leur a fallu près de trois siècles pour commencer à sortir de leurs réserves et envahir à leur tour le continent.

«Que ce soit par des moyens pacifiques ou violents, ils prennent aujourd'hui une belle revanche...

«Les nouveaux propriétaires se fortifièrent de belle façon, et la jolie citadelle de Québec attire plus de touristes qu'elle n'a repoussé d'ennemis.

«D'ailleurs, pour ne pas l'abîmer, sa garnison n'a pas hésité à descendre dans la plaine et à se battre à découvert.

«Mal lui en prit car, après sa défaite, elle dut céder la place.

«Les plus récents vainqueurs se montrèrent magnanimes.

«Ils accordèrent aux vaincus tous les territoires qu'avaient déjà soustraits tes ancêtres aux Amérindiens et autorisèrent ces derniers à demeurer dans leurs réserves!

«Dans le même ordre d'idée, ils permirent à tous de conserver leur langue et leur religion.

«Comme en réalité ils n'avaient rien donné, ils demandèrent peu en retour, se contentant de gouverner le pays et d'en gérer les entreprises!

«C'était vraiment payer peu cher une cuisante défaite. En échange, les premiers colons prêtèrent serment à leurs nouveaux maîtres.

«Disons, à leur décharge, que leur mère patrie les renia, après les avoir abandonnés.

«Ainsi, coexistent sur mes rives deux civilisations qui s'entretuèrent partout ailleurs.

«Arrivés presque ensemble, je les observais mettre le pays en valeur. Chacun, avec le génie propre à sa race, se distinguait par d'heureuses initiatives.

«Je dois aux premiers les innombrables clochers dont les joyeux carillons, portés par mes flots, se répondent d'une rive à l'autre.

«Pour protéger leur foi, ils avaient élevé de chaque côté du fleuve un véritable mur de prières dont j'étais le chemin de ronde!

«Quelle allégresse lorsque le dimanche, à la sortie des messes, les cloches sonnaient à toute volée! Qui n'aurait pas compris leur joli langage?

«Par elles, j'apprenais les deuils et les chagrins qui assombrissaient les jours de mes riverains. Mais j'étais aussi le premier informé des événements heureux qui ensoleillaient leurs vies.

«Ce peuple travailleur, qui n'avait guère le temps de s'instruire, me louait à sa façon, se pressant contre mes flancs, ainsi que le font les jeunes animaux qui sollicitent de leur mère, nourriture et protection.

«Dans l'immense arrière-pays, la forêt ne semblait plus finir. Qui aurait osé s'aventurer de plus de quelques milles dans cet impénétrable enchevêtrement?

«Il faut avoir vécu à l'orée des ces bois pour comprendre la crainte qu'ils inspiraient à l'homme. Leur sombre profondeur était si menaçante et si dense qu'elle explique à elle seule cette rage véhémente qui s'empara de l'homme pour les faire reculer.

«Quel contraste avec la sûre voie d'eau que je lui offrais ou le facile chemin de glace que je lui proposais! Dans cet univers trop grand pour lui, j'étais son point de repère et son meilleur ami.

«Comment ne m'en aurait-il pas été reconnaissant? Il n'avait pas de manières élégantes et il me parlait d'amour avec ses mots de tous les jours.

«Mais je ne m'y trompais pas; sous sa rude enveloppe, battait un cœur généreux. Le soin qu'il prenait de moi montrait mieux que de belles paroles, ses véritables sentiments.

«S'il ne m'a jamais bâti d'orgueilleux châteaux, il m'a bordé d'humbles chaumières et, à choisir, je préfère ces dernières. À quoi me serviraient les froides demeures, vides de leurs occupants, que l'on visite aujourd'hui comme des musées? N'est-il pas préférable d'être entouré d'amis chaleureux, même si ce ne sont que de modestes habitants?

«J'aime la plaisante habitude qu'ils ont de dénombrer leurs familles en comptant leurs feux. En toute saison, les cheminées, par leurs volutes de fumée, signent dans le ciel leur bulletin de présence.

«Toujours en mouvement, mes riverains sillonnent mes eaux libres en été tandis qu'en hiver, leurs luges glissent sur celles qui sont gelées. Ils sortent beaucoup et se rendent de nombreuses visites.

«J'entends parfois, à la veillée, les grincements enroués du violon qui mène la danse. Sous son rythme endiablé, le martèlement des talons ébranle les planchers et fait s'envoler les jupons. Si ce peuple travaille, il sait aussi s'amuser.

«À force de nous côtoyer et de si bien nous comprendre, nous avons fini par nous lier d'amitié. Unis par les saisons, nous travaillions et jouions ensemble.

«Dès que le coucou m'en donnait le signal, je descendais le bois de flottage, que les draveurs avaient rassemblé en de gigantesques radeaux dont les longs serpents ondulaient sur mes flots, en me chatouillant l'échine.

«Je libérais mes rivages des glaces devenues trop minces pour être utiles.

«L'homme m'aidait à faire le ménage du printemps. Il nettoyait mes berges et y semait du gazon. Il faisait aussi sauter les embâcles qui retardaient ma marche.

«À la belle saison, lorsque j'avais secoué mon manteau de glace et que mes flots enfin dégagés pouvaient s'ébattre de nouveau, je portais sur mes épaules ses plus lourds fardeaux tandis que je jouais à saute-mouton avec ses légers canots.

«Pendant les fortes chaleurs, j'arrosais ses récoltes et par mon contact rafraîchissant, j'atténuais sa fatigue! Pour me récompenser, il m'amenait au moulin.

«J'aimais particulièrement faire tourner la grande roue. En prenant mon élan, je grimpais le plus haut possible, et je dégringolais, en éclaboussant de mes rires les crapauds ahuris. J'étais heureux de m'amuser tout en rendant service.

«Chaque automne me surprenait au milieu de mes jeux et attristait mon caractère. Ses riches couleurs et son air de fête n'arrivaient pas à masquer la fuite de la belle saison.

«Cependant, je l'aimais pour ses bonnes manières. Il fallait voir avec quelle délicatesse il adoucissait les derniers moments de l'été moribond. Pour protéger sa vue affaiblie, il tamisait les lumières et atténuait l'éclat de ses couleurs, qu'il dégradait par une infinité d'imperceptibles nuances.

«Il effeuillait la nature avec tant de grâce qu'on lui pardonnait son érotique exhibition. D'ailleurs, il n'étalait pas entièrement sa nudité, car ne touchant pas aux conifères, il se réservait de nombreux espaces verts. Par cette pudique et délicate attention, l'été ne voyait pas venir sa fin, et pouvait ainsi se leurrer jusqu'à son dernier souffle.

«Quelle différence avec l'apparition brutale de l'hiver! Il arrivait sans crier gare et figeait tout le monde sur place. En quelques instants, il détruisait l'œuvre des trois autres saisons.

«Ce vandale dépouillait les campagnes de leurs couleurs et arrachait à la frondaison ses dernières parures. En un tournemain, le paysage dénudé montrait d'affreuses cicatrices. Le ciel, atterré par ce carnage, trouvait ce spectacle affligeant.

«Présumant la nature morte, il étendait un blanc linceul de neige pour cacher la terre mutilée et, en signe de deuil, se voilait la face sous d'épais nuages noirs. Il ne se doutait pas qu'enseveli sous le drap blême, le sol gelé complotait contre le tyran et préparait dans la clandestinité le règne d'un autre printemps.

«Prenant son mal en patience, l'homme espérait lui aussi des jours meilleurs.

«Mais contrairement à l'ours, qui n'offrait aucune résistance et capitulait devant l'hiver, son frère supérieur résistait de toutes ses forces contre l'implacable occupant. Par des sorties téméraires et de furieuses contre-attaques, il améliorait chaque année sa position encerclée.

«Il chassa d'abord le froid de sa maison. De grands feux de bois le mirent à la porte. D'énormes bûches entassées dans sa réserve lui servirent longtemps de munitions.

«Puis, à grands coups de pelle, il fit la loi autour de ses bâtiments.

«Tassant la neige de ses longues raquettes, il traçait des pistes qui le menaient dans les bois. Utilisant d'ingénieux traquenards, il piégeait les animaux affamés et agrandissait sans cesse son territoire de chasse.

«Se jouant de mes glaces, il y patinait pour son plaisir et y forait des trous pour pêcher mon poisson. Celui-ci, qui hivernait paisiblement, se laissait prendre sans résistance.

«Au fil des ans, ses interventions se firent plus audacieuses.

«Servi par sa ténacité et son esprit inventif, il mit l'hiver en déroute, en l'apprivoisant si bien qu'il en fit son compagnon de jeu et inventa pour lui de nombreux sports.

«Personne ne redoute désormais ses froides morsures ni ses griffes, jadis si redoutables. Elles n'étreignent plus aujourd'hui que des espaces vides.

«Non content d'avoir domestiqué son entourage, l'homme commandait maintenant aux saisons.

«À l'automne, de lourds navires munis de puissantes étraves, en interdisant au gel de souder mes eaux, allongèrent la durée de la navigation. Puis, en provoquant de bonne heure ma débâcle, les mêmes engins en hâtèrent son retour. Les glaces brisées dérivèrent, libérant ainsi les ports de leur emprise.

«Il remplaça mes éphémères ponts de glace par d'autres, plus durables, qui avaient l'énorme avantage de ne pas fondre au soleil. De temps en temps, j'en rencontre un qui croise ma route d'un pas pressé. Il me nargue du haut de son tablier métallique et disparaît de ma vue en quelques longues enjambées.

«L'homme me stupéfia par son audace lorsqu'en utilisant mes chutes, il tenta de rivaliser d'éclat avec le soleil et de remplacer pour la nuit sa regrettable absence!

«Par cette lumineuse invention, il me sembla qu'il avait découvert le feu pour la seconde fois.

«Je ne serais pas étonné qu'à sa prochaine tentative, il cherche carrément à remplacer l'astre du jour!

«Pour revenir un peu en arrière, t'ai-je dit que les plus récents vainqueurs étaient de hardis navigateurs?

«Ils venaient d'une île lointaine et combinaient avec génie l'art de gouverner leurs bateaux et celui de conduire le pays des autres. Dans ce temps-là, ils se partageaient le monde avec deux ou trois autres puissances maritimes.

«Il faut dire qu'à cette époque, les territoires s'acquéraient à très bon prix. On pratiquait encore le troc, et c'étaient les croix et les drapeaux qui servaient de monnaie d'échange. Il suffisait de planter l'un ou l'autre dans la terre convoitée pour que les autochtones s'empressent de le troquer contre leur pays.

«Comme il y avait toujours quelques contestataires pour dénoncer ce marché qu'ils trouvaient peu équitable, le canon était alors chargé de balayer leurs objections.

«Plus tard, les populations se sont faites plus exigeantes, réclamant des verroteries et des colifichets en échange de fourrures, et parfois même de la peau de leurs ennemis.

«L'acheteur ravi payait comptant une précieuse marchandise, acquise au prix dérisoire de sa monnaie clinquante, après avoir fait miroiter aux yeux de ses partenaires crédules les avantages mirobolants qu'ils pouvaient tirer de leur négoce et de leur commune association.

«C'est que notre insulaire avait l'indéniable talent de s'approprier les richesses d'autrui et de diviser ses opposants en semant d'abord la discorde parmi eux, puis en les faisant se battre les uns contre les autres.

«En conquérant avisé, il épargnait ainsi beaucoup d'hommes et de matériel, tout en vendant très cher des munitions aux belligérants. Lorsqu'il jugeait les différentes factions assez affaiblies pour ne plus lui nuire, il n'avait pas son pareil pour rétablir la paix.

«Il démontrait une telle maîtrise dans l'art subtil de la diplomatie qu'il faisait non seulement l'admiration du reste du monde, mais que les survivants de l'hécatombe le remerciaient chaleureusement de son intervention.

«Si on les compare aux bruns conquistadors, les blonds insulaires furent très corrects en Amérique du Nord! Il leur a bien fallu mater quelques rébellions, mais, dans l'ensemble, les populations se résignèrent à subir leur joug, excepté plus au sud. Là, par un juste retour des choses, une fois les Indiens presque tous exterminés, ceux qui avaient fait place nette voulurent garder pour eux un pays dont ils avaient si bien fait le ménage!

«Les gens qui s'installèrent autour de moi m'impressionnèrent par l'étendue de leurs connaissances, et je me demande encore comment une si petite île pouvait contenir autant de grands hommes.

«Avec eux, finies les mesures approximatives et les géniales improvisations. Je fus mesuré, sondé et exploré avec le plus grand soin. Ils relevèrent sur des cartes et avec beaucoup de minutie les résultats de leurs nombreuses observations.

«Au début, je trouvais ces gens un peu trop tatillons. Si aujourd'hui je leur pardonne volontiers la manie qu'ils ont de couper les cheveux en quatre et de tondre leur gazon, c'est que je ne suis plus dupe de leur feinte indifférence.

«Avec une pudeur que je trouvais excessive, ils cachaient leurs véritables sentiments, si bien que j'ai longtemps cru qu'ils ne m'aimaient guère. Mais j'étais dans l'erreur la plus complète.

«Ce peuple semble avoir hérité des Amérindiens le respect qu'ils portent à la nature. Ils la comblent d'aussi prévenantes attentions que s'ils voulaient gagner le cœur d'une belle. C'est avec dévotion qu'ils s'intéressent à elle et l'habillent de coûteux vêtements.

«Ils se ruinent à la couvrir de luxuriants tapis de verdure dont l'entretien prend tous leurs loisirs. Ces incomparables jardiniers n'ont pas leur égal pour soigner et tailler leur gazon.

«Que de retouches et de patience pour parer, seulement pendant une saison, les alentours de leur maison!

«Paysagistes amoureux de la nature, ils s'efforcent par leurs soins attentifs de nous faire oublier la morte saison.

«As-tu vu la ravissante prairie qui s'étire le long de mes rives? Sa robe herbeuse épouse gracieusement les moindres courbes de ses vallonnements, ne laissant aucun accroc la déparer!

«Si avec un acharnement admirable tes ancêtres valorisèrent la terre, ceux qui suivirent exploitèrent avec bonheur d'autres ressources.

«Les deux groupes livrèrent un combat sans merci aux éléments hostiles. Si le premier, en occupant le terrain, fut l'indispensable infanterie, le second, par son esprit d'initiative et ses qualités offensives, en fut la cavalerie.

«Pour être sincère, il faut admettre que l'entreprise n'aurait peut-être jamais atteint cette envergure si les deux envahisseurs avaient divisé leurs forces pour coloniser ces immenses territoires. Aujourd'hui il est encore temps, sous une forme ou sous une autre, de reconnaître les mérites et de donner à chacun sa part de l'héritage. De bon ou de mauvais gré, en mélangeant les qualités propres à leur race, ils ont mêlé également leurs indiscutables génies.

«J'ai réussi à contourner de justesse l'Île d'Orléans en tenant mes deux bras bien serrés le long de mes côtes. Fâchée de n'avoir pas réussi à endiguer mes flots, celle-ci agitait en tous sens sa vigne sauvage. L'île de Bacchus espérait-elle m'intimider?

«Je ne sais pas si c'est l'effet du raisin ou l'air du large, toujours est-il que j'oubliai un moment de surveiller ma route, et je m'aperçus trop tard que mes rives s'écartaient l'une de l'autre.

«Le temps de m'en rendre compte, j'avais perdu à jamais les dimensions d'une rivière. Intimidées par tant d'espace, mes eaux refusèrent d'aller de l'avant et refluèrent en désordre. Comme la retraite se transformait en débâcle, je ne sus plus à quel saint me vouer!

«Ce fut Cartier qui, en me baptisant Laurent, me permit d'adresser ma prière et de diriger mon courant. En effet, c'est en me rappelant le récit de son supplice que m'est venue l'inspiration salvatrice.

«Je remercie encore ce martyr qui, par son exemple édifiant, m'a montré, que quelles que soient les circonstances, il fallait toujours faire preuve d'impartialité et bannir toute complaisance.

«Placé sur un gril ardent, il avait senti qu'il rôtissait d'un côté alors que de l'autre, il ne subissait que la brûlure du soleil. Il demanda à ses bourreaux de le traiter plus équitablement et de le retourner, pour le faire griller pareillement sur l'autre face.

«Ce courageux exemple m'incita à partager mes eaux et à les distribuer également sur mes deux rives.

«Au lieu de me cantonner complaisamment dans mon chenal, je dépêchai une partie de mes courants vers la partie sud, tandis que j'expédiai les autres en direction de la Côte-Nord.

«C'est justement cette dernière que j'aurais oubliée, n'eût été le rappel providentiel du martyre de mon saint patron! Celle-ci m'en a manifesté une telle gratitude que j'ai été submergé de reconnaissance.

«Calmées et rassurées, mes eaux consentirent au partage mais c'est divisées et affaiblies qu'elles reprirent leur avance. Je me savais encore loin de l'océan et je redoutais qu'un autre lac, en m'obligeant à courir après mes rives, ne retarde encore ma progression.

«Comment ne pas croire à la Providence? Sinon, pourquoi la prochaine île aurait-elle été placée sur mon chemin? Je louvoyai vers elle d'un pas incertain, peu sûr de ma route et étonné de la voir brandir des baguettes de coudrier qui frémissaient à mon passage.

«*Tu es sur la bonne voie*, me cria l'île aux Coudres. *Suis les marsouins, ils te mèneront à la mer! Mais, auparavant, il faut rassembler tes eaux et demander du renfort, car ton chemin s'élargira encore bien davantage!*

«La Côte-Nord, qui appuyait péniblement son sol chétif contre les Laurentides, n'avait pas cet aspect sauvage que je m'attendais à lui trouver. Ce n'étaient plus les resplendissantes terres de ma vallée, mais la végétation qui s'y accrochait avait encore bonne mine.

«À mesure que j'avançais, les boisés devenaient moins fournis et leur taille plus chétive, tandis que les montagnes prenaient de l'altitude.

«Je venais d'atteindre le royaume des Montagnais.

«Assaillies par les sables, les épinettes reculaient stoïquement, en laissant sur le terrain un grand nombre d'arbres morts.

«Plus loin, des carrés de verdure résistaient à l'ensablement. Ils auraient été submergés depuis longtemps si les courants marins n'étaient pas venus les ravitailler.

«Débarquant des varechs sous le couvert des marées, ils alimentent encore aujourd'hui la résistance! Ces plantes fertilisantes enrichissent les sols et nourrissent les maigres végétations qui poussent le long de mes rives.

«Je n'attendais que peu d'aide d'une région qui avait tant de difficulté à survivre. Où prendrait-elle ses ressources?

«Mais l'espiègle avait bien caché son jeu. Désireuse de prouver sa reconnaissance et de me faire en même temps une bonne surprise, elle avait dissimulé derrière ses montagnes la fougueuse rivière Saguenay! Ces forces fraîches raffermirent mes eaux les plus tièdes. Et ce n'était qu'un début.

«Elle s'imaginait que pour me plaire, elle devait compenser sa nature ingrate par des dons généreux.

«À mesure que sa côte devenait moins hospitalière, ses cadeaux se faisaient plus importants, si bien que j'eus toute les peines du monde à contenir la Manicouagan!

«Et je ne parle pas de la multitude d'autres rivières qui m'obligèrent à me défaire de mon estuaire devenu trop petit, pour m'affubler d'un golfe que je trouvais trop grand!

«La Côte-Nord, peu sûre de ses attraits, avait bien tort de se sous-estimer! Comment lui dire que je la trouvais aussi belle qu'utile?

«Elle ne savait pas que l'homme transformait en papier ses immenses forêts. Elle ignorait que ses rivières recelaient assez d'énergie pour éclairer un grand pays et assez de poissons pour le nourrir.

«Que savait-elle de ses nombreux minerais, dont la timidité est si grande qu'ils se cachent encore sous la terre? La liste de ses richesses s'allonge tous les jours, et le monde étonné commence seulement à entendre parler d'elle.

«Mais je préfère que la Côte-Nord ignore son immense fortune et qu'elle s'imagine que ceux qui la courtisent le font seulement pour ses beaux yeux!

«Car elle est belle, et ça, je peux le lui dire! Elle n'a pas les traits réguliers d'une île grecque, ni l'aimable tournure des rivages méditerranéens, ni non plus la grâce nonchalante des côtes du Pacifique.

«Mais quel caractère et quel tempérament! Ses contours tourmentés défient le navigateur et ses récifs ont raison de ceux qui s'y aventurent. À moins que par d'habiles manœuvres, ils sachent les contourner et qu'ils franchissent, les unes après les autres, ses défenses naturelles. La belle, désormais soumise, proposera alors ses havres les plus accueillants!

«Les Laurentides, que j'avais perdues de vue, se rapprochèrent de nouveau. De loin, lorsque le soleil les éclaire et ravive leurs silhouettes vaporeuses que les brouillards se plaisent à effacer, on aperçoit sur les pentes dégarnies, la trace des couleurs qu'un arc-en-ciel a dû oublier.

«Sur le fond rosâtre des rochers nus, les gris violacés s'entrecoupent de ravines sombres d'où partent des reflets verts marbrés de jaune, qui s'irisent longtemps après chaque pluie. Des flaques retiennent prisonniers quelques morceaux de ciel, dont le bleu délavé souligne la pâleur captive.

«D'autres teintes plus vives bondissent de rocher en rocher, avant de dégringoler en cascade jusque dans mes eaux. Par le jeu des lumières, j'hérite un instant des couleurs brisées.

«Des myriades d'oiseaux ont dressé leurs sanctuaires dans la montagne et ils l'animent d'une vie bruyante et colorée.

«Les pêcheurs du monde entier souhaiteraient jeter leurs filets au large de mes côtes poissonneuses.

«Si la Côte-Nord était vraiment laide, crois-tu que la nature, qui est experte en la matière, la parerait de ses plus belles fourrures? Et penses-tu que les huîtres perlières se donneraient tant de peine pour transformer en bijoux la nacre qui orne leurs coquilles?

«D'ailleurs, qui ne saurait mieux vanter ses charmes que ses joyeux riverains? Leur générosité est à la mesure de leur imagination et leur joie de vivre s'exprime par des chansons.

«Avant d'aller plus loin, je voudrais te parler de mon talent d'artiste; j'aimerais te montrer mes sculptures. Il te faut absolument visiter l'archipel de Mingan, qui est situé de part et d'autre du port de Havre-Saint-Pierre.

«Une poignée d'îles s'étire à son entrée pour en protéger les abords. Leurs rochers sont assez friables et ils se travaillent bien. Avec, comme seuls outils, les marées, les vents et les gels, j'ai sculpté tout à loisir, dans la masse, des formes qui sont aujourd'hui célèbres.

«Il n'entrait pas dans mes intentions de servir l'art figuratif. Je préférais me reporter davantage à l'imaginaire, à la créativité et à la fantaisie. Bien sûr, des passants y trouvent mille ressemblances et je suis ravi, en les écoutant, d'y avoir mis tant de choses auxquelles je n'avais pas pensé.

«Disons tout simplement que j'ai modelé la pierre de façon à lui donner l'aspect le plus propre à représenter l'état du monde dans son évolution et dans son actualité, comme dans la vie qui s'accroche à ses flancs sous la forme de plantes, d'oiseaux et de coquillages.

«L'ensemble prend tournure mais il n'est pas encore achevé.

«J'en ai longuement mûri la conception et travaillé la matière. Je sais qu'elle est vivante, donc changeante. C'est pourquoi je me surprends à la parfaire sans cesse, la retouchant constamment, car elle n'est jamais œuvre accomplie.

«Je comprends la frustration qu'éprouvent les créateurs qui, même s'ils ressentent la joie de produire, connaissent aussi l'amertume et la déception en mesurant leurs limites.

«Je crains, moi aussi, que la perfection ne soit pas de ce monde!

«Quel danger menace donc cette contrée?

«Pourquoi les forêts fuient-elles vers l'intérieur pour se blottir contre les rivières? Qu'est-ce qui effraie tellement la végétation qu'elle a presque entièrement disparu? Et pourquoi mousses et lichens se terrent-ils si peureusement dans les moindres replis de terrain?

«Je me demande avec inquiétude si cette boule orangée qui roule à l'horizon prend mes montagnes pour un jeu de quilles! La lune, qui surveille ses évolutions, me semble bien pâle; partagerait-elle mes appréhensions?

«Mais où est donc passé le soleil? Pourquoi fait-il si sombre maintenant? Est-ce la nuit boréale? Si le ciel sans nuage s'obscurcit en plein jour, de qui porte-t-il le deuil? Car un crime a été commis: l'hiver n'a-t-il pas froidement supprimé deux saisons?

«Seul l'été ose venir faire ici une courte apparition, juste le temps de permettre de rachitiques reproductions et d'assurer de hâtives floraisons. Seuls les rochers déchiquetés, troués et loqueteux, opposent leurs haillons de pierre aux éléments déchaînés.

«Dans ce paysage lunaire, dans un bruit de fin du monde, mes eaux soulevées par de fortes lames viennent se briser en embruns prodigieux sur la ligne discontinue formée par les récifs.

«C'est le terrible Labrador, là où pendant de longs mois, les tempêtes se succèdent, remplacées, entre deux accalmies, par des chutes de neige.

«Le vent glacial du noroît fit frissonner mes eaux et tenta de leur faire rebrousser chemin. Celles-ci, qui voyageaient depuis longtemps, étaient bien fatiguées. Elles s'étiolaient et devenaient anémiques.

«Aurai-je assez de force pour aller jusqu'au bout et terminer ce long voyage, me demandais-je souvent?

«Parmi les rencontres étonnantes que j'ai faites sur ma route, l'une a eu sur moi un effet vraiment bénéfique.

«J'avais remarqué qu'en certains endroits, mon sable perdait de sa blondeur, pour passer progressivement au noir métallisé. Intrigué par cette anomalie, j'eus l'heureuse idée d'aller observer d'un peu plus près ce phénomène. Bien m'en prit, car je constatai que c'était le minerai de fer qui, sous forme de sable magnétique, altérait mes plages.

«Je me fortifiai à leur contact, et mes eaux, devenues ferrugineuses, retrouvèrent enthousiasme et énergie. Galvanisées par la proximité de la mer, elles déferlèrent contre vents et marées dans le détroit de Belle-Isle.

«Mes courants du nord, après une longue route, touchèrent enfin au but. Qu'ils la trouvèrent belle l'île qui gardait l'entrée divine! Ils entourèrent sa taille et l'étreignirent fortement.

«Mes lieutenants ainsi que toute leur suite s'abîmèrent dans l'océan où les attendait la suprême récompense.

«Mes courants du sud, que j'avais laissés en prière au sanctuaire de Sainte-Anne-de-Beaupré, poursuivirent leur pèlerinage.

«De nombreuses îles avaient jeté l'ancre au beau milieu du fleuve, servant de relais aux oiseaux migrateurs. L'herbe y poussait à foison. La campagne exposait fièrement à ma vue ses terres fertiles, que, par la suite, se répartirent les plus fortunés de tes ancêtres.

«Quelques nobles demeures témoignent encore, par leur emplacement judicieux, de leur bon goût et de leur discernement.

«Si les vents violents n'avaient pas constamment décoiffé les arbres chevelus, j'aurais pu me croire de retour dans ma riche vallée! De timides rivières descendaient des collines et poussaient devant elles des eaux modestes et hésitantes. Tout était si charmant dans cette contrée que j'en oubliai les soucis qui accompagnaient ma croissance.

«Car je grandissais si vite que j'en perdais de vue mes autres courants. Mais je pus quand même, sous la forme d'un estuaire, continuer à porter le nom de Laurent.

«J'étais devenu un important personnage et je me déplaçais beaucoup pour mes affaires, naviguant d'un bord et de l'autre, tout en surveillant mes contremaîtres qui avaient la charge de conduire mes eaux.

«Le travail était harassant et prenait le plus clair de mon temps.

«L'idée d'associer des chenaux à ma vaste entreprise me permit de me reposer un peu et d'envisager des vacances en Gaspésie.

«Je quittai donc le Bas-Saint-Laurent, les yeux encore remplis d'aimables rivages et la tête pleine des jolis souvenirs que me laissèrent au passage de charmants petits ports. L'un d'eux était si sûr de ses attraits qu'il s'était lui-même nommé Port-Joli!

«Je n'ai jamais vraiment su où commençait la Gaspésie.

«Ses habitants, de même que les géographes et les historiens, sont tous d'accord pour dire qu'elle existe, mais aucun d'entre eux ne lui a fixé les mêmes limites.

«Même le courant de Gaspé, que j'ai reconnu à son accent, n'a pas voulu lui non plus affirmer ses origines. Il faut comprendre sa réserve.

«Les éléments les plus déshérités de la première colonisation furent jadis relégués dans cette péninsule. Écartés plus rudement encore par ceux qui suivirent, ils durent vivre dans des conditions difficiles.

«Isolés par les hommes autant que par leur situation géographique, ils furent laissés à eux-mêmes, pratiquement ignorés de leurs gouvernements. Ils connurent donc les privations qu'engendre l'abandon.

«Peu de routes, encore moins d'écoles, et presque rien de tout ce qui, normalement, va de pair avec les facilités de transport et de communication. Livrés à leurs propres moyens, les habitants s'adaptèrent tant bien que mal à leur milieu.

«Lorsque plus tard, ils furent confrontés à d'autres personnes qui avaient connu un meilleur sort, ils supportèrent mal les comparaisons désavantageuses dont ils faisaient trop souvent l'objet.

«Et comble de malheur, beaucoup, parmi les mieux nantis, soulignèrent lourdement les carences causées par leur isolement. Tout cela contribua à leur donner une mauvaise réputation.

«Ne cherchez pas ailleurs le peu d'empressement qu'ont encore aujourd'hui quelques-uns de ses habitants à se déclarer Gaspésiens!

«J'étais fortement préoccupé par l'écart grandissant qui séparait mes deux rives.

«Lorsque j'arrivai à la hauteur de l'anse de Sainte-Anne-des-Monts, les distances étaient telles qu'il me fallut plusieurs jours pour aller creuser la baie de Sept-Îles et en revenir!

«C'est au retour de cette expédition que je me décidai à prendre un peu de bon temps et à ralentir mon allure. Pourquoi ne pas adopter une vitesse de croisière?

«J'avais déjà jeté un coup d'œil intéressé aux sites que j'avais dépassés, en amont de la rivière Matane. Le pittoresque était partout, et chaque crique me réservait d'agréables surprises. Parfois, des canaux se frayaient de laborieux passages à travers de petits estuaires ensablés et m'apportaient parcimonieusement une eau très claire.

«À l'arrière-plan, les montagnes Notre-Dame et, plus tard, celles de Chic-Chocs poussaient vers moi des pointes de reconnaissance de plus en plus fréquentes. Je savais que les monts Appalaches surveillaient leur approche et je m'attendais donc à leur visite.

«Jusqu'à présent, mes riverains pêchaient en eau douce, et leurs légères embarcations ne s'éloignaient guère de mes rives.

«Mais l'audace des marins grandissait avec mon importance, ceux-ci me suivaient partout avec intrépidité.

«J'étais étonné de voir ces pêcheurs en connaître aussi long que moi sur la navigation, se servant des courants et des marées et utilisant les vents à leur avantage.

«Ils pourchassaient les bancs de poissons, depuis l'Île d'Anticosti jusqu'à celle de Terre-Neuve, s'embarquant sur leurs fragiles baleinières et donnant la chasse aux plus gros cétacés.

«J'éprouve, en face de ces hommes déshérités, des sentiments proches de l'admiration, tout en sachant que mon jugement est loin d'être impartial.

«Mais comment en serait-il autrement? Nous avons passé tellement de temps ensemble.

«Lorsqu'ils voguaient en solitaires dans leurs barques, avec le ciel pour seul témoin, ils me faisaient d'émouvantes confidences.

«Ils me racontaient leurs peines et leurs misères, leurs hivers de bûcherons et leurs soucis de cultivateurs! Ils devaient faire tous les métiers pour arriver à tirer leur maigre pitance de cet énorme tas de cailloux!

«*Il y a des roches partout*, me disaient-ils, *dans la forêt, dans la terre et même dans l'eau! Mais que ce maudit pays est beau!*

«Et c'était vrai!

«Je suivis la courbe gracieuse de la côte qui étalait ses larges perspectives dans un ample mouvement tournant.

«J'avais pourtant déjà beaucoup voyagé mais les magnifiques panoramas qui s'offraient à ma vue me firent oublier pour un moment les autres splendeurs que j'avais déjà rencontrées.

«De Gaspé jusqu'à la rivière Matapédia, ce n'était que plaisir des yeux et ravissement de l'âme.

«Les colonnes striées et rougeâtres qui soutiennent le sommet aplati du mont Sainte-Anne semblaient incliner vers moi sa très haute table. Les Indiens Mic-Macs l'utilisaient comme oratoire et adoraient, de là-haut, le soleil levant.

«Aimant l'endroit, tes ancêtres voulurent y planter une autre de leurs croix mais, à leur grand étonnement, ils trouvèrent la place déjà prise.

«Les premiers occupants, appelés "Porte-Croix", étaient des adeptes de ce signe et ils avaient déjà planté la leur sur le sommet tronqué de la montagne! On n'a jamais su ce qui leur avait inspiré cette coutume, qu'ils observaient d'ailleurs depuis plusieurs siècles!

«Dans leurs revendications territoriales, tes aïeux ne se sont guère embarrassés de la notion des droits acquis, expulsant sans ménagement les premiers occupants sous prétexte de négligence et de dégradation.

«Ils reprochaient aux autochtones de mal gérer leur terre en la laissant en friche et de profaner la nature en détériorant l'environnement.

«La mauvaise foi de ces hommes perfides était si grande qu'ils n'hésitèrent pas, pour appuyer leurs dires, à les accuser de vandalisme, prétendant qu'ils avaient délibérément troué le rocher Percé!

«Débouchant en trombe de la baie des Chaleurs, la rivière Restigouche se jeta dans mes bras, toute haletante et trempée de sueur. Dans sa crainte d'arriver trop tard, elle avait couru en route.

«Je contournai l'Île d'Anticosti, isolée de mes rives par les détroits de Jacques-Cartier et de Honguedo. J'étais maintenant devenu un géant, et les pêcheurs, impressionnés, donnèrent le nom de bras de mer à mes membres démesurés.

«Comme les doigts qui s'écartent d'une main tâtonnante, chacun de mes courants allait dans des directions différentes. Celui de Gaspé rencontra les ravissantes îles de la

Madeleine, qui lui tournèrent si bien la tête qu'il alla étourdiment frapper les rochers du Cap-Breton.

«Je réussis à en glisser d'autres à travers le détroit de Northumberland. Ils longèrent d'abord le Nouveau-Brunswick et la Nouvelle-Écosse, avant d'atteindre l'Île-du-Prince-Édouard.

«Les derniers, enfin, suivirent les bancs de morues qui se déplaçaient au large de Terre-Neuve.

«J'étais à mon apogée et, pour couronner ma carrière, on m'honora du plus prestigieux titre qu'un fleuve puisse porter. En raison de mes longs états de service, et surtout grâce à mes nombreux affluents, je fus nommé golfe du Saint-Laurent.

«Puis, un à un, mes doigts se replièrent et ma main lentement se referma. C'était pour saisir la clé d'or du paradis, que j'avais cru entrevoir un instant, posée sur un coussin de nuages.

«J'étais certain que le soleil couchant l'avait fait briller juste avant que la brume l'efface. Je ne rencontrai que le vide! Aurais-je été victime d'un mirage?

«J'attendis devant le détroit de Cabot que s'ouvre la grande porte. J'eus ainsi largement le temps de récapituler ma vie.

«Angoissé par l'attente, je redoutais la perspective d'un long purgatoire, que peut-être je méritais....

«Le portail s'ouvrit enfin et c'est la marée basse qui, en refluant, mit fin à mes appréhensions. Abaissant avec miséricorde ses eaux, elle découvrit la première marche d'un escalier céleste, celui qui menait aux plus hautes félicités.

•••

«Maintenant que je t'ai raconté mon histoire et que nous avons repassé ensemble les différentes périodes de ma vie, ne crois-tu pas que, ce faisant, j'ai répondu à bien des critiques?

«Certaines étaient fondées, d'autres l'étaient moins, par exemple lorsqu'on m'accusa d'avoir plusieurs ventres.

«N'oublie pas que c'est grâce aux réservoirs naturels qui ont été formés par mes lacs que je peux régulariser mes eaux. Combien d'autres fleuves à la taille plus fine causent ailleurs des inondations catastrophiques?

«Il est vrai que nous autres, Nord-Américains, nous aimons, comme le font parfois les enfants, montrer nos richesses et même les étaler.

«Je confesse volontiers ce péché véniel qui provoque chez d'autres celui, capital, de l'envie.

«Il m'arrive aussi, et je ne m'en cache pas, de vivre à crédit. Je n'en éprouve aucune honte, d'autant plus que les hommes en ont fait un système qui permet, entre autres, aux plus jeunes de profiter des avantages que leurs parents ont mis de longues années à obtenir.

«Chaque barrage est bâti sur l'espérance que la rivière qui l'alimente continuera de couler. Les sources ne sont-elles pas promesse d'avenir? Elles sont notre premier capital, celui qui permet d'entreprendre et de grandir. Les banquiers jugent d'ailleurs leur présence indispensable. Notre marge de crédit ne dépend-elle pas de leur importance?

«Au fil de mon courant, et sans trop qu'il y paraisse, j'espère t'avoir instruit tout en t'amusant.

«Ne prends pas tous mes dires trop au sérieux. À mon âge, on mélange facilement les dates, et même les événements.

«L'essentiel, c'est que tu saisisses et fasses comprendre à mes riverains l'inestimable valeur du cadeau que leur a offert le Créateur, en me donnant le jour sous leur ciel.

«Nous autres, fleuves, sommes intimement liés à la vie des peuples.

«Nous traversons presque toutes les capitales, et nos eaux arrosent jusqu'aux plus petits hameaux. Les cités qui n'ont pas ce privilège le déplorent amèrement et leur sort n'est guère enviable.

«En ouvrant les yeux des indifférents et en les instruisant de mes mérites, j'arriverai peut-être à ce qu'ils me considèrent comme un bienfaiteur, à ce qu'ils hésitent à me souiller de leurs déchets polluants.

«Ceux qui m'apprécient déjà m'estimeront encore davantage, et leurs soins n'en seront que plus attentifs.

«Tous les autres, en me découvrant, parviendront peut-être un jour à m'aimer!

«Combien d'hommes sont partis à la recherche de lointaines beautés, alors qu'à leurs pieds attendait la plus belle?

«Sois certain qu'en me racontant et en me faisant connaître, tu éveilleras en chacun de ceux qui t'écoutent l'architecte qui dort, le peintre qui sommeille ou le poète qui rêve...»

● ● ●

Le poète qui rêve?

Me serais-je donc endormi?

Ramené brusquement à la réalité, j'ouvre les yeux et je vois le fleuve.

Rassuré par sa présence et certain de n'avoir pas rêvé, je me tourne de côté et je me rendors!

Achevé   Imprimerie
d'imprimer Gagné Ltée
au Canada Louiseville